정신분열병 바로알기

A Comprehensive Guide to
Understanding schizophrenia

군자출판사

정신분열병 바로알기

A Comprehensive Guide to Understanding schizophrenia

첫째판 1쇄 인쇄 | 2006년 1월 5일
첫째판 1쇄 발행 | 2006년 1월 15일
첫째판 2쇄 발행 | 2009년 3월 10일

지 은 이   대한정신분열병학회
발 행 인   장주연
표지디자인   디자인 집
발 행 처   군자출판사
등   록   제 4-139호(1991. 6. 24)

본   사   (110-717) 서울특별시 종로구 인의동 112-1 동원회관 BD 3층
             Tel. (02) 762-9194/5   Fax. (02) 764-0209
대 구 지 점   Tel. (053) 428-2748   Fax. (053) 428-2749
광 주 지 점   Tel. (062) 223-9492   Fax. (062) 223-9493
부 산 지 점   Tel. (051) 893-8989   Fax. (051) 893-8986

ISBN 89-7089-484-5
정가 8,000원

머리말

    이 책은 정신분열병 환자의 진료와 연구에 종사하고 있는 전문가들이 모여 정신분열병에 대한 일반인들의 이해를 돕고자 간단하고 명료하게 기술하였습니다. 원론적인 학술적 주제보다는 환자 자신이나 환자의 가족들이 실제 궁금해 할 수 있는 의문들을 더 중요시 하였고 질환에 대한 오해와 편견을 덜어주는데 도움이 될 수 있도록 서술하였습니다. 책의 구성은 전반부에 정신분열병의 원인 증상, 진단 및 치료 등에 대해 간략하게 설명하였고, 후반부에서는 환자와 가족들이 흔히 경험하게 되는 정서적인 문제, 재활치료와 재발의 위험성 등을 포괄하는 흔한 의문점에 대해 좀 더 상세하게 다루고 있습니다. 저자들은 이 책이 정신분열병 환자나 가족들 혹은 인접분야에서 활동하고 있는 전문가들에게 유용한 지침서로 활용될 수 있기를 기대합니다. 정신분열병이 완전히 정복되어 완쾌될 수 있는 수준으로 정신의학이 발전하려면 아직 긴 시간이 필요하겠지만 과거 이십여년 동안 큰 발전이 이루어졌고 환자의 삶의 질, 또한 월등히 나아졌습니다. 이러한 발전속도가 지속된다면 현재 고통받고 있는 환자들에게 또 다른 기회가 주어질 수 있으며 치료뿐 아니라 증상의 발현 이전에 예방할 수 있는 방법도 찾을 수 있을 것으로 기대합니다. 정신분열병을 극복하기 위하여 애쓰시고 있는 모든 분들에게 감사의 말씀을 전하고 이 책이 출판되도록 헌신하신 대한정신분열병학회 임원 여러분과 군자출판사에 대해 저자를 대표하여 진심으로 감사드립니다.

저자를 대표하여

2005년 12월

인하의대 정신과 교수 **김 철 응**

김승현(고려의대)

김찬형(연세의대)

김철응(인하의대)

백상빈(강릉아산병원)

신영민(서울의료원)

신영철(성균관의대)

안석균(연세의대)

오강섭(성균관의대)

윤진상(전남의대)

이문수(고려의대)

이승환(인제의대)

이중서(한림의대)

이홍식(연세의대)

전양환(가톨릭의대)

정인원(동국의대)

정희연(서울의대)

주연호(울산의대)

함병주(한림의대)

함웅(계요병원)

삽화

- 송형석(마음과마음 정신과)

···contents

정신분열병 바로알기

A Comprehensive Guide to Understanding schizophrenia

1. 정신분열병이란 무엇인가요?

 정신분열병을 한마디로 이런 병이다 라고 설명하기는 쉽지 않습니다. 왜냐하면 지금까지는 정신분열병이 한가지 병인 것처럼 이야기 되었지만 최근의 의학적인 발전에 의해 이 병을 일으키는 원인은 매우 다양하다는 것이 밝혀졌고, 따라서 병의 경과나 임상적인 양상, 치료에 대한 반응, 예후 등이 사람에 따라 각각 다르게 나타나기 때문입니다.

 흔히 '미쳤다' 라고 부르는 상태도 정신분열병을 설명하기에는 적절하지 않습니다. 국어사전을 찾아보면 [미치다]라는 뜻은 ① 정신에 이상이 생기다. ② 언행이 정상인 상태를 벗어나다. ③ 한가지 일에 푹 빠지다라고 설명되어 있습니다. 사전적인 의미로 정신분열병이 ①, ②번의 뜻을 포함한 것처럼 생각 들기도 하지만 정신에 이상이 있는 상태는 너무도 다양하고, 또한 언행이 정상이 아닌 상태도 경우에 따라 너무도 다양하기 때문에 이런 말로도 이 병을 설명하기는 적절하지 않습니다.

 의학적으로 정신분열병은 환각이나 망상, 와해된 언어, 기괴한 행동, 음성증상 등의 증상을 갖는 상태를 일컫습니다. (각각의 증상에 대해서는 뒤에서 다시 설명될 것입니다.) 이 병을 명확하게 진단할 수 있는 확실한 검사는 없으며 전문가가 환자의 병력과 다양한 검사, 면밀한 관찰을 통해 진단하게 됩니다.

 이 병을 갖는 사람은 의외로 많아서 대략 인구의 1%가 이 병을 앓는다고 알려져 있습니다. 또한 사회계층이나 교육수준에 관계없이 발병하며 많은 경우가 25세 이전에 발병하여 적지 않은 수가 평생동안 이 병으로 고생하게 됩니다.

2. 비슷한 증상을 보인다고 다 정신분열병은 아닙니다.

정신분열병은 망상, 환각, 와해된 언어, 기괴한 행동, 음성증상 등의 증상을 통해 진단을 내리게 됩니다. 하지만 이러한 증상 중 일부 증상이 나타난다고 해서 정신분열병이라고 단정할 수는 없습니다.

환각 증상 중에 다른 사람에게는 들리지 않는 소리가 들린다고 믿는 환청의 경우 정신분열병 이외에 조울병, 우울증, 치매 등에서도 나타날 수 있으며 잠이 들려고 할 때나 잠이 깨려고 할 때 들리는 환청은 정상인에서도 나타날 수 있습니다. '나는 우주인이다' 또는 '내 이웃에 사는 사람은 외계인이다' 라고 굳게 믿고 있는 경우라도 그렇게 믿는 사람이 어린이일 경우에는 정상일 수 있으며 다른 질병의 경우에도 그러한 헛된 믿음을 가질 수 있습니다.

간혹 보호자들 중에는 자녀가 정상인과는 다른 엉뚱한 행동을 한다고 해서 혹시 정신분열병이 아닌가 미리 짐작하는 경우가 종종 있습니다만 정신분열병을 진단하는 증상 중에 몇몇 증상을 보인다고 이 병이라는 확신을 할 수는 없습니다.

따라서 정상에서 벗어났다고 생각되는 행동이나 언행이 반복될 때에는 반드시 전문가에게 진료를 받아 병의 이유를 밝히는 것이 필요합니다.

4

3. 정신분열병의 역사

1) 근대 이전의 정신분열병

비록 정신분열병이란 이름을 사용하지는 않았지만 이러한 상태에 대한 기술은 오래 전부터 있어왔습니다. 의학의 아버지라고 불리는 히포크라테스는 기원전에 정신병을 조증, 우울증, 광증으로 분류하였고 이러한 병이 신의 저주 때문에 생기는 것이 아니라고 역설하였습니다. 하지만 이러한 그리스 시대의 접근은 로마 시대에 접어들면서 주로 귀신이나 영적(靈的)인 문제로 여겼습니다. 특히 중세 시대에는 정신분열병에서 나타나는 증상을 보이는 사람들을 악마에 홀린 사람이라고 했고 이 때문에 많은 정신분열병 환자들이 마녀라는 이름으로 처형되기도 하였습니다.

정신분열병의 증상에 대해 최초로 의학적인 관심을 기울인 사람은 요한 웨어(Johann Weyer)라는 의사로 마녀라고 불리는 사람들의 증상은 초자연적 현상에 의해서 생긴 것이 아니라 정신적인 불균형에 의한 것이라고 서술하였습니다.

18세기에 접어 들면서 피넬(Philippe Pinel)이라는 프랑스의 의사는 그 당시 사회적으로 격리되고 구속되어있던 정신병 환자들을 쇠사슬로부터 해방시켜야 한다고 주장하였고 정신병 환자들도 다른 사람들처럼 자유와 평등의 권리를 가져야 한다고 주장하였습니다.

19세기에 들어서면서 정신분열병을 하나의 질환으로 인식하기 시작하였습니다. 1860년경 벨기에의 정신과 의사인 모렐(Morel)은 14세의 한 소년이 사회적 위축, 기괴한 버릇, 게으름을 보이다가 결국 지적인 황폐화를 보이는 양상을 기술하면서 '조발성 치매'라는 용어를 사용하였는데 이것이 근대에 접어들면서 가장 처음 정신분열병을 지칭한 용어였습니다.

2) 20세기 초의 정신분열병

20세기 초에 접어들면서 정신분열병에 대한 과학적인 접근이 본격적으로 이루어지기 시작하였습니다.

1896년 크레펠린(Kraepelin)은 정신분열병을 예리하게 관찰하여 훌륭한 임상적인 묘사를 하였고 이 병에는 여러 가지 유형이 있다고 기술하였습니다. 그는 이 병이 뇌가 변화되었거나 뇌 속의 나쁜 물질이 쌓여서 생기는 병이라고 믿었습니다. 이러한 견해는 정신분열병에 대한 현대적인 연구의 기초를 이루었습니다.

블레일러(Bleuler)는 이 질병이 정신의 부조화에 의해 생기는 병이라고 생각하였으며 환자가 보이는 여러 증상을 1차적인 것과 2차적인 것으로 나누어 설명하기도 하였습니다. 그는 이 질병에 있어 심리적인 부분이 매우 중요하다고 하였고 의사와 환자 사이의 건전하고 강한 유대관계가 치료에 매우 중요하다고 생각하였습니다.

메이어(Meyer)는 이 병을 심리적으로 이해하려고 노력하였습니다. 그는 이 병이 어려움을 겪을 때 결단을 갖고 행동하기보다는 회피하려는 시도를 자주하고 이러한 행동을 반복한 결과 인격이 해체되고 결국 현실에서 후퇴하여 자신만의 폐쇄적인 공간에 머물게 된다고 하였습니다.

슈나이더(Schneider)는 정신분열병을 진단하는데 큰 도움이 된다고 생각하는 일련의 증상을 일급증상이라고 제시하였습니다. 이러한 노력에 힘입어 정신분열병의 증상은 좀 더 객관적으로 관찰될 수 있었습니다. 일급 증상의 공통적인 내용은 자신의 생각이나 느낌, 신체 등이 외적인 힘에 의해 영향을 받고 있다고 느끼는 것입니다. 예를 들면 자신의 생각이 소리로 들린다거나, 서로 다투는 내용의 환청이 들린다거나 어떤 힘이 자신의 몸을 조절한다고 느끼거나 자신의 생각이 외부로 퍼져나간다거나 하는 내용들입니다. 이러한 증상들은 명백히 정상적인 경험과는 구분되는 것들로 최근의 정신분열병 진단에서도 중요한 개념으로 받아들여지고 있습니다.

현재는 크레펠린, 블레일러, 메이어 등 초기 학자들의 이론이 그대로 받아들여지고 있지는 않지만 이러한 여러 학자들의 노력은 정신분열병의 이해와 연구에 토대가 되었습니다.

3) 1950년대의 정신분열병

1950년대에는 정신분열병을 치료할 수 있는 약이 처음 개발되어 치료에 획기적인 변화를 가져온 시기입니다. 당시 개발된 클로르프로마진(Chlorpromazine)이란 약물을 통해 정신분열병의 증상이 치료될 수 있다는 확신을 갖게 되었고 이 병의 원인에 생물학적 요인이 중요하다는 인식이 광범위하게 퍼졌습니다. 또한 평생동안 병원에 격리되기 일쑤였던 정신분열병 환자는 사회와 가족의 따뜻한 보살핌을 받으면서 약물을 복용하면 병원이 아닌 사회에서 어느 정도 생활할 수 있게 되었습니다.

또한 이러한 약제의 개발은 정신분열병에 대한 일반인의 인식에도 변화를 가져왔습니다. 이러한 약제가 개발되기 이전에 미국에서는 정신분열병의 개념이 지나치게 확대 해석되는 경향이 있었습니다. 즉, 남의 눈에 거슬리는 행동을 하거나 남들은 믿지 않는 어떤 생각을 고집하는 사람을 정신병이라고 쉽게 판단하곤 하였습니다. 이러한 태도 때문에 일부의 의사들은 당시의 정신의학에 반발하였고 심지어는 분명한 원인이 밝혀지지 않은 정신질환은 정신과 의사가 만들어낸 미신에 불과하다고까지 주장하였습니다.

하지만 정신병적인 상태를 치료할 수 있는 약제들이 속속 개발되면서 그 동안 정신병이란 진단을 내렸던 병적인 상태가 뇌의 이상에 의해서 생긴다고 확신하게 되었습니다. 또한 이 질병에 대한 체계적인 연구를 위해서 나라마다 달랐던 진단 기준의 차이를 좁히기 위한 노력을 진행하는 등 정신분열병에 대한 보다 과학적인 접근이 시도되기 시작하였습니다.

4) 최근 정신분열병에 대한 개념

최근 정신분열병에 대한 연구는 신경생물학, 신경해부학, 분자유전학, 신경생화학 등의 발전에 힘입어 원인에 대한 연구가 과거에 비해 더 활발하게 진행되고 있습니다. 최근의 연구결과를 종합해 보면 정신분열병의 원인은 뇌의 이상에 의한 것으로 생각됩니다. 또한 과거에 비해 음성증상이라고 부르는 의욕이 없고 감정이 메마르고 논리적인 사고를 하지 못하는 상태가 중요한 증상으로 취급되고 있습니다.

다른 경향으로는 정신분열병이란 여러 원인에 의해서 생기는 다양한 질환이지만 이를 하나의 진단명으로 분류하고 있다는 이론입니다. 병이 다양한 원인에 의해 생기기 때문에 나타나는 증상이나 치료에 대한 반응, 병의 경과나 예후가 다양하다는 것입니다.

또한 질병이 나타나는 원인에 대해 환경의 영향에 대해 주목하고 있습니다. 즉 개인적으로 병이 나타나기 쉬운 성향이 있는 사람이 생활환경의 영향을 받거나 개인적인 스트레스를 받을 경우 발병할 수 있다는 것입니다.

이상에서 본 것처럼 정신분열병에 대한 개념은 역사적으로 많은 변천을 거쳐왔습니다. 그리스 시대 이후로 신의 저주나 악마의 소행으로 받아들여졌던 시대도 있었고 근대 이후에는 심리적인 원인을 중심으로 이해하려는 노력도 있었습니다. 하지만 1950년대 약물의 개발 이후, 인류 역사상 최초로 이 질병에 대한 치료가 가능해졌고 격리되고 속박을 받던 정신분열병 환자가 사회에서 자유롭게 생활할 수 있는 여건도 갖추어졌습니다. 앞으로 의학이 좀 더 발달한다면 정신분열병을 극복할 수 있는 날이 올 것이라고 생각합니다.

4. 정신분열병은 얼마나 많은가요?

1) 나라에 따라 정신분열병은 더 많이 생기나요?

과거에 진단 기준이 확실하지 않을 때는 나라에 따라 발병율이 틀렸습니다. 이상한 행동을 하면 모두 정신분열병이라고 했던 나라도 있고 좀 더 엄격하게 병의 진단을 했던 나라도 있습니다.

하지만 1960년대 이후에 통합된 정신분열병의 진단 기준이 마련되었고 세계보건기구(WHO)에서 1980년대 10여개 국가를 중심으로 일년동안 발생한 정신분열병을 조사한 결과 각 나라마다 처한 상황이 다른데도 이 병에 걸리는 사람의 비율은 비슷했습니다. 우리나라에서 시행한 몇몇 연구에서도 다른 나라의 결과와 큰 차이를 보이지 않았습니다.

결론적으로 정신분열병은 나라에 따라 발병의 차이를 크게 보이지 않는 전세계적인 질병이라고 할 수 있습니다.

2) 과거에 비해 정신분열병은 더 많이 생기나요?

현대 사회는 과거에 비해 개인주의적이어서 각박하고 여유가 없어졌기 때문에 정신병이 더 많이 발생할거라고 생각하기 쉽습니다. 실제로 1980년대 몇몇 학자는 과거에 비해 19세기나 20세기에 들어서면서 정신분열병이 더 많아졌다고 주장하기도 했습니다. 하지만 이러한 주장은 불충분한 자료 때문에 빚어진 오해라고 결론 내려졌습니다. 반면에 수십 년 전에 비해 정신분열병의 발병이 줄었으며 심한 증상이 줄었다고 주장하는 학자도 있습니다. 이러한 주장 역시 과거에 비해 진단이나 치료 방법 등이 많이 변했기 때문에 확실한 결론을 내리기는 어렵습니다.

정신분열병의 과거와 현재를 비교하는 것은 병에 대한 개념이 변화되었기 때문에 쉽지는 않습니다. 다만 최근 유럽에서 장기간에 걸쳐 새롭게 발병한 정신분열병을 면밀히 조사한 결과 과거와 비교해서 특이한 변화 없이 비슷한 상태를 보인다고 발표되었습니다.

3) 우리나라의 정신분열병은 얼마나 많은가요?

우리나라에서 1960년대 이후에 조사된 정신분열병이 발생하는 정도는 대략 1.1-3.8% 정도였습니다. 이 결과는 외국과 비교할 때 큰 차이가 없습니다. 1984년에 미국에서 시행한 방법과 동일한 방법으로 조사한 결과 미국보다 약간 낮은 0.7% 정도가 평생에 걸쳐 정신분열병을 앓게 된다고 보고되었습니다. 하지만 우리나라의 경우 가족의 병을 밝히지 않는 경향이 있기 때문에 낮게 보고된 것이지 실제로는 큰 차이는 없으리라고 추측됩니다. 다시 말해 일반 인구 백 명 당 한명은 평생동안 한번 이상 정신분열병으로 고생하고 있으며 국내 총 인구수가 4,800만 명 이라면 약 48만 명이 이 병을 앓고 있을 수 있다는 뜻입니다. 또한 당시 조사에 따르면 도시와 시골, 주거 환경의 차이는 정신분열병이 발병하는데 큰 영향을 주지 못하였습니다.

이후에 조사된 결과에는 서울에 비해 지방에서 정신분열병이 더 많이 발생한다고 하였지만 당시에는 건강한 젊은이가 지방을 떠나 서울에 더 많이 거주하여 상대적으로 병약한 사람들이 지방에 많이 남게 되어 생긴 오해라는 견해가 우세합니다. 전체적으로 남성이 여성보다 이 병에 더 많이 걸리는 것으로 발표되었으며 나이가 들면서 남녀, 거주지역에 관계없이 감소되는 추세를 보였습니다.

5. 정신분열병은 왜 생기나요?

1) 신경전달물질의 이상에 의해 생긴다는 이론

사람의 뇌는 복잡한 신경다발로 이루어져 있습니다. 복잡한 전기회로와 같은 구조이지요. 전기 회로는 납땜 등으로 연결되어 전선끼리의 전기적 신호를 주고 받는다면 사람의 뇌는 신경전달물질에 의해 신경끼리의 신호를 주고 받습니다. 이 신경전달 물질에 이상이 생기면 신경간의 정보전달체계에 이상이 발생합니다. 이러한 이상에 의해 환각이나 망상이나 기타 여러 가지 정신분열병에서 나타나는 증상이 발생하게 됩니다.

정신분열병에 관여하는 신경전달물질로 우선 고려되는 것은 도파민이라고 부르는 물질입니다. 도파민이 지나치게 많이 분비되어 정신분열병의 증상을 일으킨다고 믿게 된 이유는 우선 정신분열병 치료에 사용되는 약들이 대부분 도파민이 다른 신경에 작용하는 것을 방해하는 성질을 갖기 때문입니다. 또한 뇌신경에서 도파민과 유사한 작용을 하는 암페타민 같은 물질을 남용할 경우 정신분열병에서 나타나는 증상과 같은 환각과 망상 등을 유발하기 때문에 도파민이 정신분열병을 일으키는 주범이라고 생각해 왔습니다.

하지만 최근의 연구에 의하면 정신분열병은 한가지 원인에 의해 생기는 것이 아니라고 밝혀졌고, 도파민과 관계없는 약제들이 정신분열병과 유사한 증상을 일으킨다는 것이 밝혀지면서 도파민 이외의 신경전달물질도 정신분열병에 관여할 것이라고 생각하게 되었습니다. 따라서 최근에는 도파민 이외에 세로토닌, 노르에피네프린, GABA, 글루타메이트 같은 신경전달물질도 도파민과 함께 정신분열병에 관여할 것이라고 생각됩니다.

2) 뇌 신경발달에 문제가 있다는 이론

사람의 다른 기관과 마찬가지로 뇌 역시 신경세포가 자라나면서 복잡한 구조를 갖게 됩니다. 마치 나무들이 자라서 많은 가지를 뻗고 뿌리를 내리고 숲을 만드는 것처럼 신경들은 자라서 뇌라고 부르는 복잡한 신경 다발을 만드는 것입니다. 하지만 어떤 원인에 의해 일부의 신경이 제대로 자라나지 못하면 그 기능을 제대로 할 수 없게 됩니다. 실제로 정신분열병 환자들의 뇌를 조사한 결과 신경세포들이 정상인에 비해 제대로 키가 크지 않거나 이상한 모습으로 자라거나 엉뚱한 곳으로 이동한 모습을 보였습니다. 이러한 신경발달에 문제가 생기는 이유는 확실치 않습니다. 다만 임신 중에 여러 가지 복합적인 원인에 의해서 뇌 신경의 이동, 증식, 가지 뻗기 등에 장애를 일으킨 것으로 생각됩니다.

그렇다면 태어나면서 또는 유아기에 신경의 이상을 일으킨 환자들이 왜 한참 뒤인 청소년기를 지나서 증상을 일으키는 걸까요? 이에 대한 대답도 분명하지는 않습니다. 다만 현대 의학의 추측으로는 사람의 뇌는 청소년기까지 뇌의 기능이 성숙하기 때문에 근본적인 문제가 가려질 수 있다고 생각합니다. 하지만 사춘기 시기부터는 뇌의 대대적인 정비가 이루어져서 필요없는 가지를 잘라내기도 하고 잘못된 신경간의 연결도 끊게 되고 전반적인 배열도 달라지게 됩니다. 이러한 정비가 이루어지면서 그동안 가려져서 나타나지 않던 문제들이 드러나거나, 정비가 이루어질 때 문제가 되는 신경들을 적절히 제거하지 못해서 병이 발생한다고 생각됩니다.

아무튼 임신 당시 또는 출생 후에 신경이 제대로 성장하지 못하고 청소년기의 뇌에 대한 정비 시기에 문제가 방치되어서 비정상적인 신경 연결망이 형성되면 이 후에 외부 자극에 대한 처리에 왜곡이 일어나 망상이나 환각 등의 증상을 일으키는 것으로 생각됩니다.

3) 정신분열병의 뇌 영상

최근 의학과 공학의 발달에 힘입어(CT, MRI, SPECT, PET 등) 뇌의 구조를 볼 수 있거나 뇌의 기능을 볼 수 있는 기계들이 많이 개발 되었고, 정신분열병의 연구가 더욱 활발히 이루어지고 있습니다. 이러한 기계를 이용하면 뇌의 모양을 볼 수 있을 뿐만 아니라 뇌의 어떤 부위가 활동을 많이 하고 어떤 부위가 활동을 적게 하는지도 알 수 있으며, 이를 통해 정신분열병의 원인을 밝혀내려는 시도가 활발히 이루어 지고 있습니다.

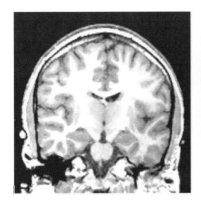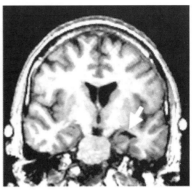

그림 1. 정상인과 정신분열병 환자의 MRI 비교

왼쪽에 보이는 뇌는 정상인이고 오른쪽은 정신분열병 환자의 뇌 입니다. 화살표에 보이는 것처럼 정신분열병 환자의 뇌의 일부가 작아져 있는 것을 볼 수 있습니다.

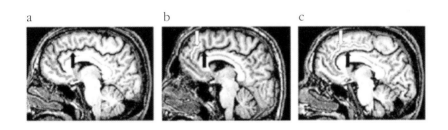

그림 2. 정상인과 정신분열병 환자 뇌의 MRI 비교

그림에서 왼쪽은 정상인, 가운데는 보통 정도의 증상을 보이는 정신분열병, 오른쪽은 심한 정신분열병 환자입니다. 화살표에서 나타나듯이 증상이 심할수록 뇌의 일부가 점점 더 위축된 모습을 보입니다.

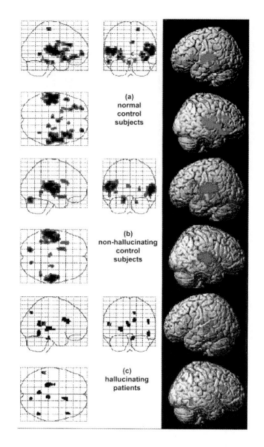

(a)
normal
control
subjects

(b)
non-hallucinating
control
subjects

(c)
hallucinating
patients

그림 3. 환청을 보이는 환자의 뇌.

의공학적인 기술을 동원하면 환청을 보이는 환자에서 비 정상적인 뇌의 활동을
그림에서와 같이 빨간색으로 표시할 수 있습니다. 이러한 연구를 통해 환청을 일으
키는 뇌의 비정상적인 부분을 알 수 있습니다.

4) 뇌의 인지 기능에 이상이 있다는 이론

뇌의 인지기능이란 주의력, 기억력, 언어능력, 시각적 인식, 문제해결 능력 등 뇌
의 전반적인 기능을 의미합니다. 최근 정신분열병 환자를 대상으로 뇌의 인지기능

을 측정한 결과 환자의 약 40%에서 이 능력이 감소해 있다는 것이 밝혀졌습니다. 특히 몇몇 검사를 제외하고는 전반적인 인지 기능이 감소된 상태를 보였습니다. 이러한 결과는 뇌의 일정한 부분에만 이상이 생긴 것이 아니라 전체적으로 뇌의 기능에 이상이 생겨있다는 것을 의미합니다.

일부의 반론이 있기는 하지만 정신분열병 환자가 병이 생기기 전에 비해 지능이 저하된다는 주장은 널리 받아들여지고 있습니다. 또한 지능의 저하는 발병 초기에 심하게 나타난다는 주장도 있습니다. 호프(Hoff)라는 학자는 발병 초기의 정신분열병 환자와 만성 정신분열병 환자의 인지 기능을 조사하였는데 검사 결과는 거의 비슷했습니다. 즉, 양쪽 모두 기억력, 주의력, 집행 기능등에 걸쳐 광범위한 낮은 점수를 보였는데 이는 정신분열병 환자의 뇌가 발생 초기부터 이상이 있다는 주장을 뒷받침하는 결과라고 할 수 있습니다.

뇌 영상의 발달과 함께 인지기능의 연구가 진행되면 개개인의 질병에 따른 원인을 파악할 수 있고 이러한 자료를 통해 각각의 환자에 적합한 치료 방침을 세워 보다 적절한 치료를 제공할 수 있을 것으로 기대합니다.

5) 유전적인 원인

정신분열병 환자나 가족들이 가장 궁금해 하는 것 중의 하나가 과연 정신분열병이 유전병이냐 하는 것입니다. 하지만 앞에서도 언급했지만 정신분열병이 한 가지 원인에 의해 생기는 질병이 아니라는 의견이 많기 때문에 유전병 여부 역시 "그렇다", "아니다" 라고 쉽게 나누어 이야기 할 수는 없습니다. 즉 어떤 경우에는 유전적인 경향이 짙은 반면 어떤 경우는 유전적인 요인이 전혀 없는 경우도 있기 때문입니다.

일반적으로 가족 가운데 정신분열병을 가진 사람이 있는 경우 다른 가족 구성원에서 정신분열병이 나타날 확률은 다음 표에서 보는 바와 같습니다.

최근 인간의 유전자 지도가 밝혀지고 정신분열병의 연구가 더욱 활발해짐에 따라 유전자가 정신분열병을 일으키는가를 구체적으로 알 수 있게 되리라 예상합니다. 이렇게 되면 출산전 검사를 통해서 또는 병이 나타나기 전에 검사를 통해 미리 정신

대 상	유병율
일반 인구	1%
형제가 정신분열병일 때	8%
부모 중 한 명이 정신분열병일 때	12%
이란성 쌍둥이 중 한명이 정신분열병일 때	12%
양쪽 부모 모두 정신분열병일 때	40%
일란성 쌍둥이 중 한명이 정신분열병일 때	47%

분열병이 발생하는지 여부를 평가 할 수 있을 것입니다.

6) 감염 때문에 발생한다는 이론

독감을 유발하는 인플루엔자 바이러스가 정신분열병과 관련이 있는지의 여부는 아직 확실하지 않지만 일부에서 꾸준히 제기되고 있습니다. 머레이(Murray)라는 학자는 런던으로 이민을 온 사람들이 1959년에 런던에 독감이 유행한 후 5개월 지난 시점에서 낳은 아이가 자신들의 고국에서 태어난 아이들보다 정신분열병에 더 많이 걸렸다고 하였으며, 또한 이러한 결과가 나타난 이유는 이민 온 사람들이 임신 5개월 경에 바이러스에 노출되었기 때문이라고 주장하였습니다. 또한 일부 학자들은 1월에서 4월 사이에 태어난 아이들에서 정신분열병의 발병이 더 많았다고 주장하기도 하였습니다. 북반구와는 반대로 남반구에서는 7월에서 9월 사이에 태어난 아이에서 정신분열병이 많이 발생한다는 주장도 있습니다.

이러한 주장에 대한 결론은 아직 내려지지 못하고 있습니다. 앞에서 이야기한 것처럼 임산부가 임신 중기에 바이러스에 노출되어 정신분열병이 증가했다는 주장이 있는가 하면 정신분열병과 바이러스는 아무 관련이 없다고 주장하는 학자도 있습니다. 일부에서는 정신분열병의 소인이 있는 경우에 특정한 계절에 나타나는 해로운 자극에 대한 방어 능력이 떨어져서 위와 같은 결과를 보인다고 이야기하기도 합니다.

7) 마음의 병이란 이론

프로이드는 유아기에 적절한 대상과의 관계를 형성하지 못하여 초기에 심리적 고착과 자아의 결함이 생기고 이로 인한 심리적 갈등으로 인해서 정신분열병이 생긴다고 생각했습니다. 다소 오해의 소지가 있습니다만 쉽게 설명하면 유아기에 어머니로부터 적절한 사랑과 보살핌을 받지 못해서 심리적인 상처를 받게 되면 건강한 판단과 이성적인 사고를 할 수 있는 능력이 적절히 발달하지 못하게 됩니다. 이러한 아이는 후에 심리적인 갈등 상태를 빚게 되면 이성이 발달하지 못했던 유아기의 사고 방식으로 퇴행하게 되는 것입니다. 프로이드의 정신분열병에 대한 핵심적인 이론은 타인과의 갈등과 좌절로 인하여 타인에게 쏟아 붓던 에너지를 자신 쪽으로 다시 회수하고 퇴행한다는 것입니다. 또한 자아기능의 결함 때문에 현실감의 문제가 나타나고 성적 또는 폭력적인 내적 욕망을 적절하게 제어하지 못한다고 생각했습니다.

마가렛 말러는 젖먹이 시절처럼 어머니에게 전적으로 모든 것을 의존하던 양상에서 벗어나지 못하고 독립적인 판단과 생활을 할 수 없는 것이 특징이라고 생각했습니다. 정신분석가들은 청소년기에 독립성과 정체성, 내적인 욕망의 조절, 외적인 자극에 대한 적절한 적응을 위해 강력한 자아가 필요한데 정신분열병 환자의 경우에는 이 시기에 자아의 결함이 전에 비해 두드러지게 되고 따라서 자아가 붕괴되는 상태에 이른다고 생각했습니다.

현재의 정신분석가들은 이전의 이론에 덧붙여 환자의 증상이 각각 어떤 의미를 갖고 있다고 생각하고 이를 치료에 반영해야 한다고 생각합니다. 많은 경우에서 약물치료와 함께 정신치료를 동반할 경우 보다 좋은 결과를 가져올 수 있습니다.

8) 가족의 문제가 기여한다는 이론

과거 일부 학자들은 가족 구성원 사이의 문제가 정신분열병을 유발한다고 생각했습니다만 의학이 발달하면서 가족 문제가 정신분열병을 일으키는 원인이라는 주장에 의문을 갖게 되었습니다. 하지만 가족 구성원 사이의 문제가 질병의 경과나 예후에 중요한 영향을 미친다는 것은 분명한 사실입니다. 흔히 이야기 되는 정신분열병 가족의 문제는 다음과 같습니다.

● 이중구속 : 이는 부모가 아이를 대할 때 말의 내용이 이중적이거나 말과 표정이나 행동이 정반대인 경우입니다. 쉬운 예를 들면 예쁘다고 하면서 가까이 오는 것을 귀찮아 하거나 내가 명령했다고 해서 굴복하지 말라고 하는 것입니다. 이러한 이중적인 태도가 미묘하게 지속될 경우 아이는 갈피를 잡을 수 없는 혼돈 상태에 빠지게 되며 결국 심한 불안, 분노, 절망감을 경험하게 됩니다.

● 결혼왜곡/ 결혼분열 : 결혼왜곡은 한 배우자가 집안의 감정상태를 지배하는 경우입니다. 예를 들면 폭군적이고 이기적인 아버지와 소심하고 유순한 어머니로 이루어진 가족을 말합니다. 이런 경우 약한 배우자는 상대방에 대한 증오심을 상대 배우자가 편애하는 아이에게 갖게 됩니다. 결혼분열은 부모가 서로에게 실망하여 교류가 없는 생활을 하는 경우입니다. 이런 경우 부부는 서로 아이를 자기편으로 만들려고 하고 이 경우 아이는 다른 쪽 부모에게 죄책감을 느끼게 됩니다.

● 위선적 상호소통 : 이는 가족끼리 겉으로는 상대를 존중해주고 매우 친밀한 것처럼 보이지만 실제로는 아이가 집안의 테두리를 벗어나지 못하게 해서 결국에는 성장하여 독립하지 못하게 하는 경우입니다. 간혹 부모가 상상하는 삶을 만족시키기 위해 아이를 인형처럼 집안에 머물게 하는 경우입니다.

9) 사회적 스트레스가 기여한다는 이론

많은 보호자나 환자들은 사회적인 스트레스 때문에 멀쩡한 사람이 정신분열병에 걸릴 수 있는지 궁금해 합니다. 실제로 많은 보호자들은 환자가 시댁에서 받은 구박 때문에, 군대에서 고참들이 고생시켜서, 학교에서 따돌림을 받아서 정신분열병에 걸렸다고 생각합니다. 하지만 현대 의학의 연구에 의하면 스트레스에 의해 일시적인 정신병적인 증상을 보일 수는 있지만 스트레스 때문에 정신분열병이 발생한다고 생각하지는 않습니다. 반면 사회적 스트레스가 병의 경과나 예후에 많은 영향을 끼치는 요인이라는 의견에는 동의합니다.

정신분열병에 영향을 끼치는 사회적 스트레스에는 다음과 같은 것이 있습니다. ① 인지적인 혼란 상황, ② 감정적인 공격성을 경험하는 상황, ③ 지나치게 요구하는 상황, ④ 물리적인 위협이나 환자의 기를 꺾는 상황 등이 이에 해당합니다.

너무 빨리 병원에서 퇴원하거나 너무 빨리 사회에 복귀할 것을 요구하는 경우 많은 경우에서 병의 재발을 경험하게 됩니다. 또한 환자의 태도에 대해 지나치게 비난하거나 또는 지나친 과보호로 스스로의 판단을 할 수 없는 상황을 만드는 것도 재발을 유도하는 잘못된 태도입니다. 이렇게 사회적 스트레스 요인이 병의 경과에 많은 영향을 미친다면 반대로 적절한 환경은 환자의 회복에 도움을 줄 수 있음을 의미합니다.

인도에서 이루어진 한 연구에 따르면 대도시보다 시골에서 생활할 경우 재발이 적었으며 가족의 여유 있는 태도와 환자를 이해하려는 노력이 재발율을 낮추었다고 합니다.

10) 정신분열병의 원인에 대한 결론

앞에서 본 바와 같이 정신분열병이 생기는 원인에 대한 연구는 여러 각도에서 여러 방법을 통해 이루어지고 있습니다. 이전에 언급한 바와 같이 현재는 정신분열병이 한가지 원인에 의해 발생하는 한가지 병이라고 생각하지는 않습니다. 따라서 신경 전달물질의 이상, 신경 발달의 이상, 뇌 기능의 이상, 유전적 원인, 마음의 문제, 가족과 사회의 영향 등 많은 이론들이 난립하고 있습니다. 이러한 이론들을 통합한 이론이 스트레스-체질 이론입니다.

스트레스-체질 이론이란 태어나면서 또는 자라면서 정신분열병이 걸릴 소인이 있는 사람이 특정한 시기에 외적인 스트레스를 받아 발병한다는 이론입니다. 마치 신체가 허약한 사람이 감기에 걸린다는 이야기와 통하는 부분이 있습니다. 이것은 군대나 결혼과 같은 생활의 큰 변화를 겪는 시기에 정신분열병이 나타나는 이유를 설명할 수 있습니다.

정신분열병이 생기는 원인에 대해서는 아직 많은 연구가 이루어져야 합니다. 아마도 정신분열병을 더욱 체계적으로 구분할 수 있고 각각의 원인이 밝혀진다면 정신분열병의 치료 또한 많은 발전이 있게 될 것입니다.

6. 정신분열병은 어떤 사람들에게 많이 생기나요?

1) 나이와 성별

정신분열병은 일반적으로 청소년기 후반 또는 성인 초기에 처음 발병합니다. 하지만 아주 어릴때나 나이가 든 후에도 발병할 수 있습니다. 문헌에는 5세 아동에서 정신분열병이 발병했다는 보고도 있습니다.

정신분열병은 남자가 여자에 비해 이른 나이에 발병을 합니다. 로랑거(Loranger)라는 학자가 정신분열병 환자 100명을 조사한 결과 남자가 처음 정신증상을 보인 평균 나이는 21.4세 였고 여자는 26.8세였습니다. 또한 처음 치료를 받기 시작한 나이는 남자는 25.2세, 여자는 29.6세 였습니다. 대부분의 환자들은 30세 초기까지 발병하는데 35세 이후에 발병한 경우는 남자는 2%에 불과하지만 여자는 19%정도였습니다.

이러한 남녀의 발병시기가 차이를 보이는 이유는 분명치 않습니다. 다만 유전이나 가족력 등의 요인이 발병 시기와 관련 있다고 생각되고 있습니다.

성별에 따라 병에 걸리는 정도는 소수의 다른 견해가 있기는 하지만 대체로 남녀가 거의 비슷한 정도로 발생한다고 여겨집니다. 일부에서는 병을 보다 엄격하게 분류하여 기분장애 환자를 제외한다면 남성에서 발생이 더 많다고 주장하기도 합니다. 국내에서의 연구에 따르면 남성에서의 발병이 여성에 비해 많다고 보고되었으며 나이가 들어감에 따라 남녀 모두 발병이 감소된다고 합니다.

2) 인종과 종족

20세기 초반에 시행된 미국의 연구에 따르면 백인에 비해 미국계 아프리카 인종에서 정신분열병이 더 많이 발생한다고 하였습니다. 하지만 최근의 연구에 따르면 이러한 결론을 내린데에는 유색인종에 대한 편견이 많이 작용하였다고 여겨지고 있습니다.

1975년까지 14개국에서 시행된 22개의 연구를 종합해 보면 한두가지 연구를 제외하고는 전세계적으로 발병율은 거의 비슷하였습니다. WHO에서 시행한 연구에 따르면 유사한 문화를 갖는 곳에서는 비슷한 발병율을 보인다고 합니다. 최근의 결론은 정신분열병의 발생은 인종이나 종족에 따라 차이가 없다는 것입니다. 단, 개인이 처한 사회적 환경이나 상황에 따라서는 다소간의 차이는 나타날 수 있습니다.

국내에서 시행한 연구 중에는 조선족과 한족(漢族)간의 차이에 대한 것이 있는데 이 연구에서는 조선족이 한족에 비해 정신분열병이 더 많이 생긴 것으로 보고되었습니다. 이 이유는 한족에 비해 조선족이 험난한 생활을 해 왔기 때문이라고 생각됩니다.

3) 결혼과 출산

정신분열병 환자가 결혼을 하지 않는 경우는 흔하며 결혼을 했다고 하더라도 이혼 등의 파국을 맞는 경우는 더 흔합니다. 이러한 경향은 남성에서 더 많습니다. 남성에서 결혼을 하지 못하는 이유는 여성에 비해 남성에서의 발병이 더 이른 나이에 이루어지고 초기에 더 심한 증상을 자주 겪기 때문이며, 또한 결혼에 이르기 위해서는 일반적으로 남성의 적극적인 구혼이 필요한 경우가 더 많기 때문이라 생각됩니다.

과거에는 정신분열병 환자의 임신율과 출산율이 낮은 것으로 알려졌고 이러한 이유가 생리적인 변화 때문이라고 생각되어졌습니다. 하지만 최근의 연구에 따르면 출산율이 적은 이유는 정신분열병 환자의 사회에 대한 흥미 결여, 대인관계 기피, 감정의 피폐, 성충동의 감소 등 증상에 의한 것임이 밝혀졌습니다. 잦은 입원으로 인하여 성관계를 가질 기회가 줄어드는 것도 한 가지 요인으로 작용할 것으로 생각됩니다.

1950년대 약물이 개발되어 환자를 가정에서 보호하는 것이 가능해지면서 출산율이 높아질 것으로 예측하였지만 아직도 일반인에 비해 출산율은 낮은 편입니다.

정신분열병 환자가 아이를 갖는 비율이 적어지게 되면 수십년이 지난 후에는 정신분열병이 줄어들 것이라고 예상할 수 있지만 실제로는 그렇지 않습니다. 이러한 결과를 볼 때 정신분열병은 단순히 유전적인 요인 뿐 아니라 환경적인 요인도 작용한다고 생각할 수 있으며, 유전적인 요인이 있다고 하더라도 열성 유전 같은 특이한 유전 형태를 띨 것이라고 생각할 수 있습니다.

4) 사회 경제적 상태

일반적으로 정신분열병은 사회 경제적 상태가 좋지 않은 경우에 더 많이 발생하는 것으로 알려져 있습니다. 이러한 이유에 대해서는 병 때문에 경제적 상태가 나빠져서 낮은 사회계층에 속하게 된다는 이론과 상대적으로 낮은 사회계층의 사람들이 더 많은 스트레스를 받거나 열악한 환경에 놓이게 되어 더 많은 병이 발생한다는 이론이 있습니다. 두 가지 이론에 대한 결론은 내려지지 않았지만 많은 학자의 견해에 따르면 정신분열병이 생기게 하는 사회적인 요인이 있다는 증거는 없으며 병으로 인해 사회적 수준이 낮아진다는 이론이 더욱 신빙성이 있는 것으로 생각됩니다.

보통 주위 사람에게 정신적으로 이상하다는 느낌을 처음 준 이후 병원에 입원하기까지는 약 19년이 걸리고 정신분열병의 증상을 처음 나타낸 이후 병원에 입원하기까지는 약 4내지 5년이 걸리는데 이러한 요인이 직업이나 경제적인 생활을 하는데 많은 걸림돌로 작용할 것으로 생각되며 사회적으로 낮은 계층에 놓이게 하는데도 작용할 것으로 생각됩니다.

5) 도시화와 산업화

일반적으로 도시가 시골에 비해 정신분열병의 발생이 높다고 여겨지고 있습니다. 그러한 이유는 도시가 상대적으로 빠른 변화가 이루어지고 사회적으로 단절된 상황이 많기 때문이라고 생각됩니다. 반면 시골은 보다 안정되어 있고 사회적으로도 서로 밀접한 관계를 갖기 때문이라고 합니다. 또 다른 이유로는 정신분열병 환자들이 사회적으로 받는 스트레스를 피하기 위해서 익명성이 보장되고 타인과의 격리가 가능한 도시로 모여들기 때문입니다. 하지만 미국에서 시행된 대대적인 연구에서는 도시가 농촌에 비해 발병율이 더 높다는 증거를 밝히지 못했습니다. 우리나라의 경우에는 오히려 도시에 비해 농촌에서 정신분열병의 발병율이 높다고 보고되었는데 이러한 이유는 젊고 건강한 사람들이 도시로 많이 빠져나가서 상대적으로 병약한 사람이 농촌에 많이 남게 되어 나타난 결과라고 생각됩니다.

과거에 비해 산업화가 되면서 정신분열병의 발병이 더 많아졌다는 주장도 있지만

정신분열병
바로알기

이러한 연구들은 대부분 인정받지 못하고 있습니다. 이러한 주장이 가능한 이유는 유아 사망률이 감소되고 가족이 핵가족화 되어 정신분열병 환자가 과거에 비해 더 쉽게 노출되기 때문이라고 생각됩니다.

6) 생활 스트레스

정신분열병을 앓는 환자나 보호자들이 흔히 궁금해 하는 것 중의 하나가 스트레스로 인해서 병이 생겼는지 하는 것입니다. 예를 들면 학교에서 따돌림을 받는다던가, 군대에서 고참들에게 기합을 받는다거나 또는 결혼 이후에 시댁에서 시집살이를 시켜서 병이 생긴 것은 아닌가 하는 것 등입니다.

실제로 견디기 힘든 스트레스를 많이 경험하는 사람에게서 정신분열병이 발생하거나 재발하는 경우가 많은 것은 사실입니다. 따라서 스트레스가 정상인에서도 정신분열병을 일으키는 게 아닌가 하는 가설도 있었습니다. 하지만 일부 학자들은 정신분열병을 일으킬 소인이 있는 사람에서만 스트레스가 유발 요인으로 작용한다고 주장하기도 합니다. 이에 대한 근거로 2차 세계 대전 당시 독일의 강제 수용소에서 극심한 스트레스를 받던 사람들에게서 정신분열병이 더 많이 발생 했다는 증거는 찾아볼 수 없었기 때문입니다.

스트레스가 실제로 정신분열병을 일으킨다고 할 수는 없지만 정신분열병이 스트레스와 관련 있는 것은 사실입니다. 다만 사람마다 병에 대한 취약성은 각각 다르고 스트레스가 정신분열병의 발생에 기여한 정도 역시 사람마다 다릅니다. 따라서 스트레스가 병이 생기는데 얼마나 기여했는가 하는 것은 각 사례에 따라 신중한 판단이 필요합니다.

7. 정신분열병의 증상은 어떤 것이 있나요?

1) 정신분열병의 흔한 증상

정신분열병의 증상은 사고(생각)의 장애, 지각의 장애, 정동의 장애, 의식의 장애 등으로 나누어 생각할 수 있습니다. 사고 장애는 사고가 원래 의도 되었던 흐름에서 벗어나거나, 이질적인 요소가 뒤섞여서 융합하거나, 한 가지 사고 흐름의 구성요소가 뒤죽박죽으로 섞이는 양상으로 나타납니다. 또는 사고의 흐름이 갑자기 멈추었다가 완전히 새로운 사고의 흐름이 시작되는 사고의 두절이 나타나기도 하며 흔히 비논리적이고, 지리멸렬하며, 추상적인 개념 형성의 어려움이 있고, 생각의 흐름이 앞뒤가 연결되지 않는 연상의 이완을 볼 수도 있습니다. 많은 환자들이 다양한 망상을 가지고 있는데 누군가 자신을 해치려 한다고 믿는 피해 망상이 가장 흔하고, 그 외에도 자기의 생각을 누가 빼앗아 간다고 믿거나, 누군가 생각을 자신의 머리에 넣는다고 믿고 자신의 생각이 남에게 널리 퍼져 신문, 라디오, 텔레비전에 보도된다고 호소하고 남들이 자신에 관한 이야기를 하고 있다고 믿는 관계망상이 나타나기도 하고 자신에게 초능력이 있다고 믿거나 자신이 위대한 사람이라는 과대망상이나, 각종 애정 망상을 보이는 경우도 있습니다.

지각의 장애로는 환각, 착각 등이 있으며 환각 중에는 환청이 가장 흔하며 환청은 주로 말소리가 들리는 것으로 다른 사람들이 서로 이야기를 주고 받는 소리나, 자신에게 행동을 지시하는 소리, 욕설, 공격적이고 비웃는 내용의 말소리 등이 주로 들리게 됩니다. 환시도 드물지 않게 나타나서 환자들은 매우 당황하고 공포에 질리게 되고 이러한 환각들 때문에 이를 설명하기 위하여 환자들은 피해 망상이나 과대 망상, 종교적 망상 들을 발전시키게 됩니다. 그러나 환각은 환자의 마음이 외부로 투사된 것입니다.

정신분열병 환자들에서는 환청, 환시 외에 드물지만 환후(남들은 못 맡는 냄새를 맡는 것), 환촉(남들은 못 느끼는 촉감을 느끼는 것), 환미(남들은 못 느끼는 맛을 느끼는 것)도 나타나는데 대개 피해적 망상 또는 신체적 망상과 함께 나타납니다. 그 외의 지각의 장애로는 알고 있는 환경을 전혀 낯설게 느끼는 미시감이나 처음 보는 장소를 언젠가 본일이 있는 것으로 느끼는 기시감 등이 있습니다. 의욕 및 정동의 장애로 부적절한 기분, 정서반응의 감소, 정서적 완고함이 나타나며 우울증을 동반하기도 합니다. 운동기능에서는 자신의 행동이 자신의 것이 아니고 무엇인가에 의해 조종당하고 있다는 느낌과 갑작스런 흥분과 혼수, 폭력 등의 행동을 보이기도 합니다. 의지의 양가성이 있어 양극 사이에서 어느 하나를 취하거나 결단을 내리지 못하고 모순된 행동을 보이기도 합니다. 의지의 약화도 흔히 나타나는데 무엇을 하고자 하나 결단을 못내리고 멍하니 누워있거나, 공부를 한다고 하고는 책을 펴고 한 장도 읽지 못한 상태로 앉아 있기도 합니다. 의지의 약화와는 반대로 지나친 고집으로 말을 전혀 하지 않는 함구증이나 행동을 거부하는 거부증이 나타나기도 하고 의지의 억제가 나타나 환자가 무엇을 하고자 할 때 그와 반대되는 행동이 나타나기도 합니다.

상대의 말을 그대로 따라하는 반향언어나 상대의 행동을 그대로 흉내내는 반향행동도 나타나고 자세나 언어, 걸음걸이에서 상당시간 같은 모습이 반복되는 매너리즘이나 똑같은 행동을 되풀이 하는 상동행동들이 나타나기도 합니다.

정신분열병 환자들의 의식은 대개 명료하지만 급성 환자의 경우 환각에 의해 의식상실을 보이기도 합니다. 기억은 인식보다는 회상에 장애가 있고, 망상적인 기억, 오인, 환상적 내용의 작화증 등이 특징입니다. 그러나 대개 지남력, 기억력이 보존된 (되는) 경우가 많고 단지 환자의 무관심이나 되는대로 답하는 특징 때문에 기억력이 부족한 것으로 나타나 평가가 어려운 경우가 많습니다, 지능도 다소 저하되고 때로 성적이 떨어지는 등의 현상이 나타나지만 근본적으로 지능의 장애가 나타나지는 않습니다.

2) 정신분열병의 양성증상

양성증상은 망상, 환각, 와해된 언어(disorganized speech), 와해되고 기이한 행동 (disorganized and bizarre behavior)을 포함합니다. 양성 증상들은 때로 두 개의 집단으로 더욱 세분됩니다. 망상과 환각은 정신병적 차원(psychotic dimension)으로 생각되는 반면 와해되었거나 기이한 언어와 행동은 와해 차원(disorganization

26

dimension)을 나타내는 것으로 생각됩니다. 쉽게 생각하면 누가 보아도 병적으로
생각되는 눈에 띄는 증상을 말합니다.

3) 정신분열병의 음성증상

음성증상들은 정상적으로 나타나는 기능들이 소실되거나 감소하는 것을 이야기
합니다. 음성증상들은 무논리증 (alogia, 현저하게 빈약한 언어, 또는 내용이 없는 언
어), 감정적 둔마(감정 표현 능력의 감소), 무쾌감증(기쁨 체험 불능, 사회적 상호작
용에서의 흥미 상실), 무의욕증(목적지향적 행동을 시도하거나 유지하지 못함)을 포

함합니다. 언뜻 보면 단순히 무기력하고 조금 우울한 것이 아닌가 하는 생각이 들게
하며, 이런 증상은 정신분열병의 초기 증상으로 나타나거나 혹은 병의 진행 과정상
중기이후에 두드러지게 나타납니다.

4) 정신분열병을 의심해보아야 하는 초기 증상(전구 증상)

정신분열병은 주로 청소년기에 많이 발생하는데 이때 흔히 보이는 정상적인 감정
적 변화(emotional turmoil)와 전구증상이 혼동이 되어 병의 조기발견과 조기치료를
하는데 장애가 됩니다. 흔히 관찰되는 전구증상은 다음과 같습니다.

- 몸에 이상이 있다고 생각하는 막연한 건강염려증
- 몸과 주변의 세상이 자신과 동떨어진 비현실적인 느낌
- 평상시에는 관심 없던 철학적, 종교적 주제에 대한 집착
- 집중력 저하, 긴장, 불안 양상
- 불면, 사회부적응, 성격변화, 학업 문제, 대인관계 변화
- 특이한 생각과 행동, 의미 없는 말, 이상지각, 정서 불안
- 실제로 존재하지 않는 것의 지각(환각)
- 혼잣말, 혼자 웃음, 충동적인 행동
- 비합리적이고 잘 이해되지 않는 믿음(망상)
- 논리성 결여로 인한 동문서답, 지리멸렬한 말
- 정서의 장애로 인해 말, 생각과 일치하지 않는 감정표현
- 감정표현이 적고, 단조로우며 표정이 없음
- 기타 여러 가지 이해할 수 없는 이상행동

5) 정신분열병 치료 후 재발을 경고하는 전구 증상

- 잠을 잘 못 자고, 밤늦게 혼자 다니거나 늦게 일어남
- 긴장, 신경질적, 걸음걸이가 빨라지고, 안절부절 못함

- 말이 없고 식사를 잘 안하며 거부 또는 지나치게 많이 먹음
- 성욕의 변화, 자위행위에 몰두해 있음
- 대인관계의 위축, 친구 만나기를 거부함
- 음악을 들을 때 아주 크게 틀거나 아주 작게 틀려고 함
- 초조, 긴장감을 보이거나 지나치게 기분이 좋아 보임
- 고통이나 통증 등 신체적인 감각에 둔감함
- 목욕을 하지 않거나, 옷을 갈아입지 않으려 함
- 라디오 듣고, TV 보고, 책 읽을때 집중하지 못함
- 하루 종일 한 두 가지 생각에 몰두해 보냄
- 기타 개별적인 위험신호

8. 정신분열병에도 종류가 있나요?

정신분열병에도 종류가 있습니다. 크게 5가지 정도로 구분되며 망상형 (paranoid), 해체형(disorganized), 긴장형(catatonic), 미분화형(undifferentiated) 그리고 잔류형(residual)으로 구분합니다.

망상형 정신분열병의 경우 피해망상이나 과대망상과 같은 망상이나 환청을 주된 특징으로 하며 체계화된 망상과 환청, 긴장과 의심이 많고, 적대적, 공격적인 모습을 많이 보입니다.

해체형은 지리멸렬한 망상과 환청이 주증상이며 발병 연령이 빠르고, 서서히 시작합니다. 조직화되지 않은 말이나 행동, 부적절한 감정반응이 특징이며 현실과의 접촉이 극도로 제한되어 있습니다. 긴장형은 정신운동성 장애가 특징적이며 극단적인 운동과다와 혼미, 자동적 복종과 거부증 등의 양극단이 교대로 나타납니다. 혼미 상태, 자발적인 운동 감소, 침묵상태, 거부증 등이 특징입니다. 미분화형은 정신분열병의 진단기준은 만족시키지만 망상형, 혼란형(해체형) 혹은 긴장형의 어느 한 아형의 진단기준을 만족시키지 않는 경우입니다. 잔류형은 지속적으로 정신분열병을 시사하는 증상이 존재하지만 다른 아형의 진단기준을 만족시키기에는 증상의 활성이나 뚜렷함이 충분하다고 할 수 없는 경우입니다. 감정적 둔마, 비정상적 행동, 비논리적 사고, 사회적 고립 등이 흔하며 망상이나 환청은 뚜렷하지 않습니다.

9. 정신분열병의 위험 요소는 무엇인가요?

　역학 연구에 따르면 정신분열병 환자는 대개 하류 사회경제 계층에 속한다고 합니다. 하지만 하류 계층이라는 것이 원인으로 작용하는 것이 아니라, 정신분열병이 원인이 되어서 정신분열병 환자가 하류계층으로 이동하여 더 많이 존재하는 것으로 밝혀졌습니다.

　정신분열병에서 성별의 차이는 없습니다. 정신분열병 환자 가운데 남자가 발병 연령이 빠르고 개인력상 적응도 나쁘지만, 여자 환자는 정동증상, 망상 그리고 환청을 많이 나타내며 정신분열병의 음성증상이 적게 나타나는 경향이 있습니다. 하지만 정신분열병의 증상이 성별에 따라서 차이가 난다고 하여 성별에 따라 정신분열병의 빈도가 다르다고 결론내릴 수는 없습니다.

　정신분열병이 가족 내에서 전파된다는 증거가 제시되고 있습니다. 정신분열병 가족에서 정신분열병이 걸릴 위험도는 대조군보다 높은 것은 일관되게 보고되고 있습니다. 1차 친척에서의 정신분열병의 유병율은 약 4% 이지만, 대조군은 이보다 훨씬 낮은 1% 미만입니다. 일란성 쌍생아들 사이에 일치율은 약 53%였고, 이에 비하여 이란성 쌍생아들 중 15%에서 같이 발병하였습니다. 이 자료는 정신분열병의 발병원인의 약 70%가 유전적 요인에 의한 것임을 시사합니다. 주목할 만한 것은 일란성 쌍생아 사이의 일치율이 100%는 아니라는 점입니다. 이것은 환경적 요인이 정신분열병의 원인에 중요한 역할을 함을 의미합니다.

10. 정신분열병의 진단은 어떻게 하나요?

1) 정신분열병의 진단기준

정신분열병은 정신과 의사의 면담에 의해 진단하게 됩니다. 국제적으로 사용되는 정신분열병의 진단기준을 제시하면 아래와 같습니다. 하지만 비전문가가 이러한 진단기준을 획일적으로 적용하는 것은 위험한 일입니다.

※ DSM-IV 진단기준

■ **진단기준**

　① 증상에 관련된 기준과 　② 기능 상실의 심각성에 대한 언급
　③ 기간에 대한 명시로 이루어져 있으며, 이에 배제기준이 첨가되어 있다.

A. 증상에 관련된 기준
- 망상(delusion)
- 환각(hallucination)
- 와해된 언어(disorganized speech) [예를 들어 빈번한 탈선 또는 지리멸렬]
- 심하게 와해된 행동이나 긴장증적 행동(grossly disorganized or catatonic behavior)
- 음성증상 (예를 들어 정서적둔마, 무의욕, 무논리증)

※ 이중 2가지 이상이 적어도 1달 중 상당기간에 존재해야 한다.

B. 심각한 사회적, 직업적 기능의 손상

C. 지속적인 병의 증후가 최소 6개월 이상

D. 배제기준 : · 분열 정동장애
- 기분장애
- 약물이나 기타 내과적 질환
- 자폐증, 전반적 발달장애에 의한 경우

2) 정신분열병 환자의 검사

정신분열병 환자들도 다른 내과적 환자와 마찬가지로 혈액검사를 시행합니다. 뇌 CT나 MRI를 시행하면 다른 원인에 의한 정신병적 증상을 감별할 수 있고, 정신분열병 환자에서 관찰되는 뇌의 특정 부위가 위축된 소견 등을 발견할 수도 있습니다.

최근에는 MRS (MR Spectroscopy)나 SPECT, PET 등을 이용하여 뇌의 기능적인 변화를 관찰하려는 시도들이 이루어지고 있습니다.

전기생리적인 검사로써 뇌파검사, 유발전위검사(ERP :event related potentials) 등을 시행하며 안구운동 이상 유무를 검사하는 경우도 있습니다.

인지기능 검사로는 웩슬러 성인용 지능검사(WAIS-R), Raven Progressive Matrices, 다중언어 실어증 검사, 연속수행 과제 (Continuous performance task), 위스콘신 카드 분류검사, Proteus mazes, Tower of London, 유창성 검사, 언어적 기억, 논리적 기억(웩슬러 기억 검사), Rey 청각적 언어 학습 검사, 시각적 재구성 기억, Rey-Osterreith complex figure test, 운동기능 검사 등을 합니다.

투사적 검사로는 로샤 검사, 주제통각 검사, 문장완성 검사, 인물화 검사 등이 있습니다.

다양한 검사와 측정기계가 있지만

아직은 임상 소견이 가장 중요합니다

11. 정신분열병과 구별해야할 병에는 무엇이 있나요?

1) 정신분열병과 기분장애의 감별

초기에 구분이 매우 어려울 수 있는데 정신분열병 증상을 경험하는 많은 사람들도 그 경험에 대해 두려움, 근심, 슬픔 등으로 반응하기 때문입니다.

심한 고통스런 감정 없이 무의욕증과 사회적 위축이 있는 사람은 정신분열병의 가능성이 높고, 감정을 잘 표현하고, 면담자의 공감에 끌리는 사람은 기분장애의 가능성이 높습니다.

이런가 이럴까?

분 열 증   우 울 증

2) 정신분열병과 물질남용(약물 중독)의 감별

암페타민, 알코올, 마약류 등의 사용이나 사용 중단 후 금단 시기에 정신분열병과 유사한 증상이 나타날 수 있습니다. 약물 복용을 중단했을 때 정신병적 증상이 빨리 없어지면 약물 사용으로 인해 이차적으로 발생한 것으로 추측할 수 있습니다. 감별 진단이 쉽지 않다면 환자가 약물을 남용할 수 없는 통제된 환경에서 평가를 해야 합니다. 이를 위해 약물 사용 중지 기간은 2~6주간으로 제시되어 있습니다.

3) 그 외 정신분열병과 감별해야 할 질환

측두엽 간질, 뇌종양, 뇌졸중, 뇌 외상, 내분비/대사성 장애, 감염성 과정(진행성 마비, AIDS), 다발성 경화증, 자가면역 질환 등이 있습니다. 이 경우 신체적 증상보다 정신증상이 선행하여 나타날 수도 있습니다.

분열형 인격장애, 편집성 인격장애도 감별해야 하는데 일반적으로 인격장애는 정신병 증상이 경하고, 증상이 일생동안 존재하며, 언제 발병했는지 발병시간을 말하기가 어렵다는 것이 특징입니다.

그 외 사춘기 방황, 꾀병, 인위성 장애 등과의 감별이 필요합니다.

12. 정신분열병의 실례

1) 진단명 : 정신분열병 망상형

김 O 명 씨는 29세 된 남자로 중학교 때까지 반에서 중상정도의 성적을 유지하였고 얌전한 편이나 친구들과 잘 어울리는 학생이었습니다. 고등학교에 들어가서 1학년 때 담임이 밉고 마음에 들지 않는다며 빗나가기 시작하였고 공부를 게을리 하였고, 고 2때는 부모의 간섭이 싫다며 여러 번 가출하였습니다. 고등학교 졸업 후 취직하였으나 회사를 자주 옮겨 다니고 여자와 동거하며 자신이 버는 돈 이상의 지출을 하였습니다. 2년 전부터는 자꾸 누군가가 나를 미행한다, 부모가 나를 죽이려 한다며 밖에 나가지 않으려 하고 어렸을 때부터 부모가 나를 간섭하여 내가 이 꼴로 살고 있다, 내가 뭘 하는지 항상 내 주변에 감시카메라와 도청기를 설치하여 감시한다, 내가 조금이라도 밖에 나가려 하면 내 뒤를 밟는다 하며 하숙집에 칩거하는 증상을 보여 어머니와 함께 신경정신과 외래로 찾아 왔습니다.

부모의 말에 의하면 2남 1녀의 장남으로 동생들과 어렸을 적부터 대화가 없고 얌전한 편으로 아버지는 청소 미화원, 어머니는 식당에서 일을 하여 혼자 동생들을 보살피며 지냈다고 합니다. 진찰 시 의사의 말을 전혀 듣지 않으며 대답도 하지 않고 고개를 움츠리며 주변을 두리번거리고 다른 특별한 움직임이 없이 의사와 눈도 맞추지 않는 모습을 보였습니다. 환자는 '생각할 힘이 없다. 치유될 수 없는 상처를 입었다.' 라고 호소하며 영양제 주사를 달라고 호소했습니다. 입원하여 항정신병약물과 면담 등을 통하여 약 2개월 동안 치료 후 계속 외래로 다니며 현재 직장생활을 다시 하고 있습니다.

2) 진단명 : 정신분열병 해체형

한 O 연, 20살 된 여자로 중학교 1, 2학년까지 친구들과 어울리며 잘 놀다가 중학교 3학년 때부터 잘 씻지 않고 공부도 잘 못하고 친구들과 자주 싸워 담임선생님과 아버지가 혼내면 욕하고, 방안에 들어가 거울 앞에 앉아 낄낄거리며 웃는 등 이상 행동을 보이기 시작하였습니다. 신경정신과에 입원하여 2개월간 치료 후 퇴원하여 꾸준히 약물요법을 시행하였으나 큰 호전은 없었습니다. 학교에 적응 못하고 결석이 잦아지고 방안에서 혼자 중얼거리며 지내게 되었습니다. 최근에는 방에다 대변을 누고, 학교에 가지 않고, 갑자기 울다가 웃기도 하고, 주변에서 말을 걸어도 전혀 알아듣지 못하고, 거울을 바라보며 늘 혼자 지내려 하고, 방안이 조금만 바뀌어 있어도 소리를 지르며 벽이나 바닥에 머리를 받아 심한 상처가 나 아버지와 함께 신경정신과 외래로 찾아 왔습니다.

옷은 지저분했으며 머리도 잘 감지 않은 모습이었습니다. 환자는 "천사와 친구인데, 같이 어장 하늘나라로 오는데, 배가 불러. 개아굴은 나빠, 아빠도 나빠요, 어제 저녁에도 배가 불렀어요, 선님 동기아가 왔달마 이묵" 이라고 말하기도 하며 갑자기 소리를 지르며 의자 밑으로 들어가더니 "아저씨 뒤우에 개아굴이 하당공" 하고 외쳤습니다. 환자의 어머니는 정신분열병으로 이미 입원 중이고 과거에도 3차례 입원 치료를 했으며 치료 후에도 증상이 잘 치유되지 않는다고 했습니다. 아버지는 아이와 부인에 대해 애정이 없었으며 상담 중에도 일 걱정을 하였습니다.

3) 진단명 : 정신분열병 긴장형

정 O 경, 15세 된 남자아이로 내원 한달 전 학교에서 집단 따돌림을 받은 뒤 의식을 잃어 혼미한 상태로 응급실 내원 후 치료를 받고 퇴원했습니다. 그러나 이후부터 집에서 한 발자국도 나가려 하지 않고 멍하니 지내다 보름 전부터 갑자기 물건을 때려 부수고 횡설수설하며 안절부절못하고 하루 종일 잠도 자지 않고, 식사도 하지 않았습니다. 5일전 아이가 갑자기 정신이 혼미한 채로 몸이 경직되어 움직이지 않아 부모와 함께 구급차를 통해 응급실로 내원하였습니다.

신경정신과 전문의가 응급실로 갔을 때 아이는 정신이 혼미한 채로 침대에 누워서 두 손과 발이 하늘로 향해 있었으며 전혀 미동이 없어 굳어 있는 듯 했으며 의사가 검사를 위해 환자의 손을 옆으로 벌리자 그 자세 그대로 정지 되어 있었습니다. 검사하는 동안 아이는 굳은 몸이 풀린 듯 멍한 표정으로 서서히 일어나 앉았으며 의사가 "어디 아프니?" 하고 묻자 "어디 아프니?" 하고 대답하며, 청진기를 가슴에 대니 똑같이 의사의 가슴에 청진기를 대는 시늉을 하며 의사가 잠시 자리를 떠나자 허공에다 계속 청진하는 시늉을 반복적으로 하고 있었습니다. 의사의 묻는 말을 따라 하지 않으면 묻는 말에 늘 고개를 흔들며 계속 침대 시트를 뜯는 시늉을 하는가 하면, 의사가 가는 곳마다 뒤에서 똑같이 따라다니고 같은 행동을 하다가 갑자기 안절부절 못하며 소리를 지르기도 하여 입원하여 치료 중입니다.

4) 진단명 : 정신분열병 미분화형

심 O 례, 24세 된 남자 환자로 내원 3주전 그의 방, 가구, 옷, 심지어 자기 자신의 몸에다가도 검은색과 흰색으로 색칠을 하는 증세로 내원하였습니다. 그는 낯선 남자가 계속 귓속말로 '인종문제를 해결하여 그의 가족의 평화를 지키라' 는 지시에 반응하고 있었습니다. 지난 5년간 병원에 5번 입원 했으며 4-6주 동안의 입원 기간 동안 조정 환청, 이상 행동, 그리고 피해망상 등이 개선되었다고 합니다. 그는 항정신병 약물에 잘 반응하였으나, '죽음보다 더한 괴로움' 의 느낌을 받는다며 약을 매우 싫어했습니다. 그래서 퇴원하면 불규칙적으로 약을 먹었고, 외래 진료는 받지 않았습니다.

각 발병사이에 뚜렷한 환청이나 이상 행동은 없었으나 사회생활을 회피하고 주변 환경에 대해 전혀 관심을 보이지 않고, 감정도 느끼지 못하고, 단정치 못했으며, 이상한 생각을 하였습니다. 그 동안 3번 경찰에 체포 되었는데, 옷을 갑자기 벗거나, 노상방뇨를 하였다고 합니다. 그러나 약물을 복용하고 있을 때는 기분도 좋아 보이고 말도 조리 있게 잘 하였습니다.

그는 신념이 강하고, 죄의식이 많으며, 논쟁하기 좋아하는 성격이고 5형제 중 4번째 입니다. 그는 대부분의 시간을 아파트 안에서 요가나 책을 읽으며 보내거나 잠을 자고, 대화는 가족 이외에는 하지 않고 지냅니다. 그에게 말을 걸어오는 사람이 그의 생각과 행동을 조절할 수 있다고 믿고 있기 때문에 낮에는 밖에 나가는 것을 극도로 두려워합니다. 태양 에너지를 통해 그의 생각이 전이 될 수 있고 밤에는 태양에너지가 없기 때문에 안전하다고 생각합니다.

5) 진단명 : 정신분열병 잔류형

김 O 정, 36세 여자로 6년 전부터 주변 사람들이 묻는 말에 동문서답하기 시작하였습니다. 다니던 회사도 갑자기 그만 두고 집에서 늘 혼자 지내며 식사도 잘 하지 않고, 외출이라도 나가면 갑자기 지나가던 사람을 때리기도 하고, 화단에서 볼일을 보기도 하며 그런 행동들에 대해 전혀 잘못된 느낌도 받지 못하였습니다.

1남 1녀 중 막내로 부모는 장사를 하여 어렸을 적부터 혼자 지내는 시간이 많았습니다. 6살 많은 오빠는 모범적인 학생으로 전교에서 수위를 다툴 정도로 공부를 잘하여 늘 부모한테 사랑을 많이 받지만, 그녀는 공부를 잘 못하여 오빠와 비교 당하는 것이 늘 불만이었습니다. 사교성이 좋아 친구들과 잘 어울려 다녔으나 아주 친한 친구는 없었고 전문대에 들어가 잘 지냈으며 중소기업에 취직하여 현 남편과 만나 10년 전 결혼 하였습니다. 남편은 술자리가 많아 성관계도 원활하지 못했으며, 8년 전 정상 분만하여 아들 하나를 두었습니다.

그러다 6년 전 남편의 외도를 안 뒤로 갑자기 위에 기술된 증상을 보여 신경정신과 외래로 남편과 함께 내원하여 치료받기 시작하였습니다. 그녀는 늘 생각에 몰두한 듯 보였고 간혹 이치에 맞지 않는 말도 하였으나 망상이나 환청은 뚜렷하지 않았습니다. 의사가 묻는 말에 대답도 하지 않으며 산책이나 집단 치료에 늘 불참하였습니다. 6년 동안 3번 정도 입원하였으며, 항정신병 약물에 잘 반응하지 않고, 한 번 입원할 때마다 2달 정도 지켜보며 치료하였지만 증상의 큰 호전 없이 퇴원하였습니다.

6) 진단명 : 정신분열병 단순형

최 O 우, 28세 남자로 고등학교 졸업 후 군에 들어갔다 온 뒤 취업도 못하고 집에만 있다가 4년 전, 부모와 크게 다투고 가출하여 친구 집에서 지냈습니다. 3년 전, 그 친구가 결혼 하여 있을 곳이 없어 집에 돌아온 후로 방안에서 멍하니 지내고 주변에서 불러도 대답도 없었으며 말도 잘 못하고 움직이지 않았습니다. 그러나 괴이한 행동을 하거나 뚜렷한 환청이나 망상은 없었습니다.

그는 외견상 지저분한 모습을 보이며, 목욕은 1년 전에 한번 하고는 지금까지 하

지 않았다 하며, 입원 당시에도 약 한 달 동안 씻지 않은 상태였습니다. 3남 2녀의 막
내로 아버지는 고지식한 초등학교 교사이고, 어머니는 가정에 충실한 주부입니다.
고등학교부터 말 수가 적어지더니 가족들과도 대화가 없었다고 하며 친구는 중학교
부터 알고 지내던 한 사람 뿐이었습니다. 그는 공부를 못한다고 초등학교 때부터 아
버지한테 많이 맞고 지냈으며 고등학교 때 아버지와 크게 싸운 후로 거의 말을 하지
않고 지냈다고 합니다.

늘 입원실 한 구석에 구부리고 앉아 고개를 숙이고 주변 상황에 전혀 신경도 쓰지
않고 침을 흘리며 한곳만 바라보고 지냈습니다. 면담을 해도 면담자에게 전혀 시선
을 맞추지 못하고 의사와 간호사 지시에 따르지 않으며 간혹 의미 없는 말을 중얼거
리기도 하였고 항정신병 약물 치료에 거의 반응 없이 무쾌감, 무의욕 등의 증상을 보
였습니다.

7) 진단명 : 정신분열병 정동형

임 O 현, 34세 된 여자 환자로 대학 졸업 후 직장에 들어간 후 친구 소개로 만난 직
업 군인인 남편과 슬하에 1남 1녀를 두고 별 문제없이 지냈습니다. 1년 전부터 서서
히 갑자기 말이 없어지며 아무것도 하기 싫어지고 특별한 이유 없이 자녀를 때리기
도 하며 식사도 잘 하지 않고 지내다가 자살 목적으로 수면제 50알을 먹은 뒤 응급실
을 통해 입원하였습니다.

환자는 1남 2녀 중 장녀로 엄격한 집안 분위기에 늘 갑갑했다고 하며 대학 다닐 때
도 저녁 9시 이후에 들어오면 부모님이 많이 혼을 내어 대인관계가 제한되게 성장하
였습니다. 남편은 전형적인 군인으로 깔끔한 정돈을 좋아하고 엄격하게 가정을 통
제하였고 여자가 집 밖으로 나가는 것을 극도로 싫어하여 틈틈이 집에 전화하여 환
자인 부인이 집안에 있는지 확인하였고 그로 인해 환자는 숨이 막힐 것 같다고 호소
하였습니다. 특히 두 아이를 낳은 후 살이 찌자 '살 좀 빼라, 돼지냐?' 라며 그녀의 외
모를 극도로 비하하였으며, 1년 전부터는 남편의 외도문제까지 겹쳐 우울한 상태로
지내왔다고 합니다.

첫 면담 시 그녀는 묻는 말에 대답하지 않다가 갑자기 의사를 흘겨보며, '남자들

은 다 똑같아... 너도 나를 보고 돼지라고 생각하냐' 며 흥분된 모습을 보여 진정시키려 노력해 보았지만 '나가, 죽어!!' 라고 소리치며 집기를 마구 던지는 모습을 보여 독방에 격리시켰습니다.

그 뒤 점차 어눌한 표정으로 식사도 하지 않고 잠만 자다가 웬 남자가 '나가 죽어!!' , '야, 돼지야 너 살아서 뭐할래?' 라고 속삭이는 환청이 들리면 흥분하여 격리실 문을 두들기고 머리를 쥐어뜯는 행동을 보였습니다.

8) 진단명 : 정신분열병후 우울증

장 O 민, 33세 남자로 1년 전 정신분열병 의심 하에 입원한 환자입니다.

가정적이고 매사에 자신 넘치는 아버지, 가정 일에 충실한 어머니 밑에서 2남 중에 장남으로 태어났습니다. 학교 성적은 중상위권을 꾸준히 유지하였고, 졸업 후 직장 생활하여 현재 중소기업 대리로 일하고 있으며, 결혼은 5년 전, 28살에 같은 직장 동료인 현 부인과 하였고 자녀는 1남을 두었습니다. 별 탈 없이 잘 지내던 중 2년 전 회사 사정이 안 좋아지면서 업무부담이 과중해지고 매일 늦게 들어오더니, 환청이 들린다며 집안 집기를 때려 부수고, 아이를 폭행하고, 그러다 방안 구석에 틀어박혀 지냈으며 회사에서 파직 당한 뒤 더욱 의기소침해지고, 집 밖으로 나가지 않고, 모든 것이 부인 책임이라며 공격적인 행동을 하여 1년 전 정신과에 입원하여 정신분열병으로 진단 받고 2개월간 입원 치료 받은 병력이 있습니다. 증상이 좋아져 퇴원하여 직장에 다시 다니고 가정에 충실하며 외래진료를 잘 받다가 약 4개월 전부터 외래진료에 나오지 않고 약을 복용하지 않더니 2개월 전부터 회사에 안나가고 방안에서 멍하니 천정만 바라보다 갑자기 안절부절하여 신경정신과 외래로 찾아왔습니다.

그는 "일도 하기 싫고, 기쁜 일도 하나도 없어요. 다른 사람의 시선이 의식되고 불안해져요. 저만 낙오자가 되는 것 같아요" 라고 호소하였습니다.

13. 정신분열병 치료 약물이란 무엇인가요?

1) 항정신병 약물이란?

각종 정신증상을 개선하기 위하여 사용되는 약물을 통칭하는 것입니다. 정신증상은 망상, 환청과 같은 양성 증상과 의욕없음, 무감동과 같은 음성증상을 모두 포함하는 것으로 정신분열병이나 망상장애, 일부 정동장애, 기질성 정신장애, 인지장애 등에서 나타나는 증상들입니다. 따라서 항정신병 약물은 이들 질병 및 증상의 치료에 사용되게 됩니다

2) 정신분열병의 치료에서 약물치료가 필요한 이유는 무엇인가?

약물치료는 정신분열병의 치료에 있어 무엇보다 중요한 치료 방법입니다. 정신분열병은 뇌의 특정 부위에 도파민과 같은 신경전달물질의 이상으로 인하여 다양한 증상이 나타나는 질병이라는 사실이 이미 증명되어 있습니다. 따라서 이들 생물학적인 이상을 교정하기 위하여 도파민과 같은 신경전달물질의 활동에 관여하는 각종 약물이 사용되는 것입니다. 물론 한 가지 신경전달물질이나 국한된 부위의 이상만은 아니고 다양한 부위에 여러 가지 물질이 관련되기 때문에 이런 효과를 가지고 있는 여러 가지 약물이 개발되어 사용되고 있습니다. 따라서 약물치료는 정신분열병 치료에 있어 매우 중요한 부분을 차지하고 있습니다.

3) 정신분열병 치료에서 약물의 작용기전은 무엇인가?

정신분열병의 각종 증상을 일으키는 것으로 알려진 부위와 신경전달물질에 작용하여 신경전달물질의 활동을 조절하는 것입니다. 예를 들어 뇌의 중뇌와 대뇌 피질 또는 중뇌와 변연계를 연결하는 부위에 도파민이라는 신경전달 물질이 과도하게 활성화 되어 있는 경우 도파민이 이 곳의 수용체와 결합하는 것을 차단하여 활동성을 낮추는 역할을 하는 약물을 사용하게 되는 것입니다.

그러나 최근에는 도파민계와 세로토닌계에 동시에 작용하는 약물들이 개발되어 양성 및 음성 증상의 치료에 모두 좋은 효과를 보이고 있습니다.

4) 약물을 선택하는 기준은 무엇인가?

약물의 치료효과는 약물에 따라 큰 차이가 없는 것으로 알려져 있습니다. 따라서 몇 가지 기준에 따라 약을 선정하게 됩니다.

첫째는 과거의 치료 경험입니다. 과거에 약물을 투여 받은 경험이 있다면 그 결과에 따라 효과가 좋았다면 과거 약물을 사용하고 그렇지 못하면 다른 계열의 약물을 사용하는 것입니다. 특히 약을 자주 바꾸는 것은 부작용의 가능성을 높이기 때문에 과거의 약물이 별 부작용이 없었고 효과가 좋았다면 과거의 약물을 선택하게 됩니다.

둘째는 부작용을 고려하는 것입니다. 약물마다 특징적인 부작용이 알려져 있으므로 이에 따라 환자의 증상조절에 유리한 약물을 사용하게 됩니다. 예를 들어 불안, 초조가 심한 환자의 경우 진정, 수면의 작용이 있는 약물을 사용하게 되고 너무 기운이 없고 잠만 자려 하는 환자의 경우에는 진정작용이 적은 약물을 선택하게 됩니다.

또 급성기인가 만성기인가에 따라 다른 약물을 선택하게 되고 증상도 양성 증상이 주된 증상인가, 음성 증상이 주된 증상인가에 따라 다르게 선택될 수 있습니다.

그 외에 약물의 작용시간이나 다른 약물과의 상호작용 등도 고려하여 약물을 선택하게 됩니다.

5) 정신분열병 치료에 사용되는 약물의 종류는 어떤 것들이 있는가?

다양한 종류의 항정신병 약물이 주로 사용됩니다. 그 외에 리튬, 항전간제, 벤조다이아제핀계 약물들도 보조적으로 사용됩니다.

항정신병 약물은 고전적 항정신병 약물과 비정형 항정신병 약물로 구분되는데 고전적인 항정신병 약물은 도파민수용체 길항제라고도 하고 최근의 비정형 약물은 세로토닌-도파민 길항제라고도 합니다.

6) 비정형항정신병 약물이란 무엇인가?

1990년대 후반에 등장한 새로운 항정신병 약물들로 과거의 전형적 또는 고전적 항정신병약물과는 달리 도파민 외에 세로토닌계에 동시에 작용하는 항정신병 약물입니다.

따라서 이들 약물은 양성 증상외에 음성 증상에도 효과적인 것으로 알려려 있으며 전형적인 약물에 반응하지 않던 환자들에서도 좋은 치료 효과를 보이는 것으로 판명되어 최근 치료에 가장 많이 사용되고 있는 약물입니다.

7) 항정신병 약물이 양성 증상을 호전시키는가?

그렇습니다. 모든 항정신병 약물들은 양성 증상의 치료에 효과적입니다. 그리고 그 효과는 비슷하지만 약물에 따라 강도가 다소 차이가 있습니다. 양성 증상의 치료에 있어 항정신병 약물은 필수적입니다.

8) 항정신병 약물이 음성 증상을 호전시키는가?

그렇습니다. 과거에 사용되던 전형적 항정신병 약물들은 음성 증상의 개선효과가 미미하거나 없었던 것이 사실입니다.

그러나 최근에 개발되어 사용 중인 비정형 항정신병 약물들은 양성 증상은 물론 음성 증상의 치료에 모두 효과적 입니다.

9) 항정신병 약물 외에 사용되는 다른 약물들은 어떤 약물들이 있는가?

리튬, 카바마제핀과 발프로에이트 등의 항전간제, 각종 항불안제등이 항정신병 약물과 병용으로 투여 됩니다. 리튬의 경우 정신분열병 환자의 약 반수에서 증상을 개선시킨다는 보고도 있습니다.

따라서 리튬은 단독보다는 항정신병 약물과 병용 투여를 원칙으로 합니다만 항정신병 약물을 복용할 수 없는 경우에는 단독 투여되기도 합니다.

항전간제의 경우 단독 투여시에도 정신분열병의 증상을 호전시키는 것으로 알려져 있으며 특히 흥분, 공격적인 행동 등에 효과적입니다. 그러나 항정신병 약물과 병용투여시에 약물상호작용으로 인하여 항정신병약물의 농도를 낮출 수 있으므로 주치의의 지시대로 용량을 복용해야 합니다. 항불안제도 각종 증상에 효과적이어서 항정신병약물과 흔히 병용되어 사용됩니다.

10) 항콜린성 약물이란 무엇이며 어떤 경우 복용하게 되는가?

항콜린성 약물이란 항정신병 약물의 사용으로 인한 추체외로 증후군의 치료를 위하여 투여되는 약입니다. 물론 모든 환자에서 추체외로 증후군이 나타나는 것은 아니기 때문에 반드시 투약 초기부터 항정신병 약물과 병용해야 하는가에 대해서는 아직 논란이 많습니다. 그러나 추체외로 증후군이 나타나면 고통스럽기 때문에 사용약물, 용량, 기간에 따라 항콜린성 약물을 적절히 사용하여야 합니다.

11) 약물치료 시 좋은 예후를 보일 것으로 생각되는 요인은 무엇인가?

늦게 발병한 경우, 갑자기 발병한 경우, 분명한 유발요인이 있었던 경우, 병이 발병하기 전에 사회적, 성적, 직업적 기능이 좋았던 경우, 결혼한 경우, 양성 증상이 있었던 경우, 우울증과 같은 기분장애 증상이 있는 경우, 기분장애의 가족력이 있는 경우에 좋은 치료 결과를 보일 것으로 예측할 수 있습니다

14. 특별한 경우에 정신분열병 약물은 어떻게 사용하나요?

1) 임신 시에 약물치료는 어떻게 하는가?

임신시 항정신병 약물이 기형을 발생시킨다는 보고는 없습니다. 그러나 임신 초기 3개월간은 특별히 주의해야 합니다. 따라서 이 시기에는 약물투여의 효과와 위험도를 고려하여 신중히 투여해야 합니다. 그 외의 시기에는 태아에 대한 위험도가 다소 감소하지만 항상 그 영향을 고려하여 환자의 증상에 따라 신중하게 투여를 결정하게 됩니다.

수유 중의 항정신병 약물의 복용은 유아에게 항정신병 약물이 전달되어 부작용을 일으킬 수 있으므로 주의해야 합니다.

2) 소아, 청소년에 약물치료의 문제점은 없는가?

소아, 청소년 정신분열병의 경우 항정신병약물이 반드시 사용되어야 합니다. 물론 이 경우에는 성인보다 적은 용량의 약물을 복용하게 됩니다. 증상, 연령, 체중 등이 고려되어 적절한 용량의 항정신병 약물을 복용하게 되는 것입니다.

3) 노인에서 약물치료의 문제점은 없는가?

노인의 경우 노화의 영향으로 약물의 흡수, 분해, 배설이 변화하고 약물의 부작용에 대한 예민도가 증가하기 때문에 성인기 용량보다 적은 용량을 복용하게 됩니다. 그러나 대부분의 경우 별다른 부작용 없이 항정신병 약물을 견딜 수 있습니다.

4) 다른 신체 질환이 발견된 경우에 약물치료는 어떻게 하는가?

다른 신체 질환이 발견된 경우에도 대개의 경우 항정신병 약물은 계속 복용해야 합니다. 물론 다른 신체 질환으로 인하여 복용하는 약물들의 항정신병 약물과 상호

작용의 가능성을 고려하여 약물을 선택해야하기 때문에 주치의가 복용하는 약물의
종류와 용량들을 알고 있어야 합니다.

15. 부작용이 생기거나 약을 먹으려 하지 않으면 어떻게 해야 하나요?

1) 항정신병 약물의 부작용은 어떤 것들이 있는가?

항정신병약물은 중독성이 낮고 심한 부작용은 드물지만 오랜 기간 약물을 복용해야 하기 때문에 부작용에 대하여 잘 알고 있어야 합니다. 최근에 개발된 비정형 항정신병 약물들은 부작용이 현저히 적은 것으로 알려져 있습니다.

대표적인 부작용으로는 자율신경계 부작용으로 입이 마르고, 시력이 흐려지며, 변비가 나타나고, 어지럽기도 하며, 쇠약감, 체위성 저혈압이 나타날 수 있습니다. 이 경우 약물을 바꾸어야 할 만큼 심각한 경우는 없으며 1-2주 후에 사라지는 것이 대부분이나 오래 지속되거나 심한 경우 용량을 감량하거나 부작용 치료를 위한 다른 약을 복용하면 됩니다.

그 외에 약물과민반응으로 인한 일종의 알레르기 반응과 같은 부작용이 있고 중추 신경계 부작용으로 추체외로 증후군이라는 부작용이 있을 수 있습니다.

추체외로 증후군이란 근육의 긴장, 떨림, 안절부절 못함 등의 증상에서부터 경직까지 다양합니다. 이 경우 가벼운 경우에는 저절로 소실되기도 하지만 지속되거나 심한 경우에는 주치의에게 알려야 합니다.

2) 약물의 부작용이 있는 경우 환자 및 가족은 어떻게 해야 하는가?

가벼운 부작용의 경우 놀라지 말고 처음 1-2주는 기다려 볼 수 있습니다. 대부분의 경우 가벼운 부작용은 1-2주내에 사라지기 때문입니다. 그러나 증상이 그 이상 계속되거나 심각한 경우에는 주치의에게 알려서 적절한 조치를 받아야 합니다. 대개 약을 바꾸거나 완전히 끊어야 할 정도의 부작용은 흔하지 않기 때문에 부작용이 나타났다고 해도 너무 놀라지 말고 침착한 태도를 지녀야 합니다.

3) 약물의 부작용은 개인마다 차이가 있는가?

약물 부작용은 약물의 종류, 역가, 용량과 투여방법, 성별, 연령에 따라 다르게 나타납니다. 따라서 주치의가 개인에 따라 약물 처방을 다르게 하는 것입니다. 따라서 무조건 부작용에 대한 걱정을 하지 말고 항상 주치의와 긴밀히 협의하여 약물을 복용하면 큰 부작용 없이 생활할 수 있습니다.

4) 약물 복용을 갑자기 중단하는 경우의 문제는 무엇인가?

약물을 최소 8주 이상 계속 복용한 후에 갑자기 약물을 중단하는 경우에는 병이 재발하는 경우가 대부분이며 그 외에 오심, 구토, 설사, 두통, 불면, 초조 등의 증상이 나타날 수 있습니다. 재발의 경우에는 다시 약물 복용을 하는 등 의사의 지시를 따라야 합니다만 그 외의 증상 즉 단순히 약물 중단에 의한 증상의 경우에는 별다른 치료

없이 4-5일만에 사라지게 됩니다.

5) 환자들이 약물 복용을 거부하는 흔한 원인은 무엇인가?

정신분열병 환자들의 경우 병에 대한 인식이 부족하여 약물 복용을 거부하기 쉽

습니다. 자신에게 병이 없는데 무슨 약을 먹으란 말이냐며 약물 복용을 거부하는 것입니다. 또한 부작용을 경험하는 경우에 약물복용을 거부하게 됩니다. 따라서 약을 거부하는 경우 가족들은 환자가 약을 복용하는 이유를 잘 이해하도록 도와야 하고 부작용이 나타나면 빨리 부작용 여부를 인식하여 주치의와 상의하여 고통에서 벗어나도록 조치를 취해 주어야 합니다. 약물 복용의 거부가 재발의 가장 흔한 원인 중의 하나이기 때문에 약물 복용의 중요성을 환자 및 가족이 잘 이해하고 충분한 기간 약을 복용하도록 해야 합니다.

6) 약물을 필요 기간 동안 잘 복용하도록 하는 방법은 무엇인가?

약물을 잊지 않고 잘 복용하기 위해서는 약 복용시간을 규칙적으로 생활의 한 부분으로 만드는 것이 중요합니다. 예를 들어 잠들기 전이나 양치질 후와 같이 일정 시간대에 규칙적으로 하는 것이 중요합니다. 그 외에 약을 눈에 잘 띄이는 장소에 보관하고 약봉지에 날짜 등을 적어 놓는 것도 좋은 방법이 될 수 있습니다.

7) 환자들이 약물 복용을 거부하는 경우 가족이 해야 할 일은 무엇인가?

너무 당황하거나 흥분하지 말고 환자가 약물 복용을 거부하는 이유, 약물 복용과 관련된 불편한 점에 대해 경청해 주어야 합니다. 그리고 환자에게 약물 복용의 중요성을 설명해 주고 불편한 점이 있다면 주치의와 상의하도록 권해야 합니다.

8) 약물을 중단하는 경우 어떻게 중단하게 되는가?

치료가 되어 약물을 중단하거나 드물지만 약물의 부작용 때문에 약을 중단해야 하는 경우에는 약물을 서서히 중단해야 합니다. 갑자기 중단하면 다른 부작용이 나타날 수 있기 때문입니다. 여러 가지 약물을 복용하고 있는 경우에는 한 번에 한 가지 약물씩 서서히 끊어야 하고 약물 중단으로 인한 다른 부작용의 발생은 없는지 또는 증상의 재발은 없는지를 주의 깊게 관찰해야 합니다.

9) 약물 중단 후에 재발은 언제 흔히 나타나는가?

약물 중단 후 재발에 이르는 평균기간이 4-5개월이라는 보고가 있습니다. 따라서 6개월 이내에는 가장 조심해야 하고 적어도 1년까지는 재발의 가능성을 염두에 두어야 합니다. 따라서 이 기간 동안에는 환자 스스로 유의해야 하고 가족들도 주의 깊게 지켜 보아야 합니다. 특히 환자가 잠을 못 잔다거나, 원래 증상들이 나타나거나, 사회생활에 장애를 나타낼 때는 재발의 가능성이 있으므로 특히 유의하여야 합니다.

16. 정신분열병 약물치료에서 이런게 궁금해요.

1) 약물치료와 관련하여 흔히 잘 못 알려진 지식은 무엇인가?

가장 흔한 것은 약을 오래 먹으면 머리가 나빠진다는 것입니다. 부작용 편에서 자세히 다루겠지만 정신분열병 치료제인 항정신병 약물로 인하여 머리가 나빠지는 일은 없습니다.

또 습관성 때문에 평생 약을 먹어야 한다고 믿는 분들도 많은데 그렇지 않습니다. 적당한 약물을 적절한 기간 동안 투여 받게 됩니다.

또 내성으로 인하여 일정 시간이 지나면 효과가 없고 따라서 더 많은 약을 먹어야 한다고 믿는 분들도 많은데 그렇지 않습니다. 정신분열병 치료약물은 내성을 유발하지 않습니다.

치료효과가 일시적이라고 믿는 분들도 많은데 충분한 기간 치료 받으면 완치도 가능합니다.

2) 항정신병 약물의 실제 투여 방법 또는 복용법은 어떻게 되는가?

투여 방법은 경구투여가 가장 흔하고 그 외에 근육 주사방법이 있습니다.

이 경우 투여는 약물에 따라 몇 회로 나누어 복용하기도 하고 일회만 복용하는 경우도 많습니다. 근육 주사의 경우 치료 초기에 빠른 치료 효과를 얻기 위하여 약물치료와 병행 사용되는 경우가 많습니다.

최근에는 1회 근육 주사로 장기간 치료효과가 유지되어 월 1~2회 정도 주사를 맞는 방법도 있습니다.

3) 주사제 항정신병 약물은 어떤 경우 사용되며 효과는 어떠한가?

근육주사가 사용되는데 급성기에 치료효과를 빠르게 얻기 위하여 사용되는 경우가 가장 많습니다. 또한 환자가 극도의 흥분 상태에 있거나 지나친 망상으로 불안해 하거나 난폭한 경우 또한 투약을 거부하는 경우 근육주사를 사용하게 됩니다.

4) 복용하는 약물의 용량은 어떻게 결정되는가?

약물의 용량은 약물에 따라 차이가 있고 환자의 증상에 따라 달라집니다. 물론 환자의 체중도 고려 대상입니다. 그리고 치료기에 따라 약물의 용량도 변화됩니다. 급성기가 지나 유지기에는 약물의 용량이 줄게 됩니다.

중요한 것은 적절한 용량을 충분한 기간 복용해야 재발이 적다는 것입니다. 많은 환자들이 적은 용량을 원하는데 치료를 위해서는 자신의 증상에 맞는 적정용량의 약물을 복용하는 것이 중요합니다.

5) 실제 복용하는 약물의 용량은 어느 정도인가?

물론 약물에 따라 다릅니다.

대개의 경우 클로르프로마진의 용량으로 환산하여 체중 1kg당 1-2mg을 투여하기 시작하여 서서히 효과가 나타날 때까지 증량하게 됩니다. 급성 정신분열병 환자에서 효과를 보이는 용량은 개인차가 있습니다만 대개의 경우 하루 클로르프로마진으로 300-1800mg의 범위입니다.

젊은 성인환자의 경우 하루 600-1200mg을 사용하고 40세 이상에서는 300-600mg이 적정하다는 주장도 있습니다. 그러나 필요한 용량은 개인차가 크기 때문에 반드시 주치의의 의견을 따르는 것이 중요합니다.

6) 약물 복용 후 효과가 나타나는 데는 얼마나 시간이 걸리는가?

일반적으로 약물 복용 후 빠르면 48시간 경과 후부터 효과가 나타나는 것으로 알려져 있습니다. 물론 약물에 따라, 투여 방법에 따라 다소 차이는 있습니다. 일반적으로 급성환자가 6-8주간 같은 약을 사용하여도 증상의 호전이 없으면 약물을 바꾸는 것을 고려해 볼 수 있습니다. 그러나 약을 교체할 것인지 다른 약물을 추가할 것인지는 주치의의 의견을 따르는 것이 중요합니다. 때로 더욱 긴 시간을 기다려야 하는 경우도 있습니다.

효과가 느리다고 서둘러서 교체해도 안 되고 너무 자주 교체하는 것도 치료에 도움이 되지 않기 때문에 주치의의 판단에 맡기는 것이 중요합니다.

7) 약은 과연 끊을 수 있는가?

물론입니다. 모든 환자가 평생 약을 먹어야 하는 것은 절대 아닙니다. 처음 발병의 경우 약물 투여로 6-12개월간 증상이 없고 각종 사회적 기능이 회복된 뒤에는 약 6개월에 걸쳐 서서히 약물을 줄여나가 완전히 중단해 볼 수 있습니다.

최소 2년간은 유지치료를 해야 한다는 학자들의 의견도 많습니다. 약을 줄이는 도중이나 완전히 중단한 이후에는 적어도 1년간은 주의 깊게 관찰하여 증상의 재발이 없는지를 알아보아야 합니다. 특히 재발의 징후가 있는 경우에는 즉시 주치의와의 상담이 필요합니다.

8) 복용하는 항정신병 약물이 최상의 효과를 나타내게 하려면 어떻게 해야 하는가?

주치의 지시를 따르는 것입니다.

대부분의 약물의 경우 초기에는 여러 번 나누어 복용하게 되지만 유지기에 들어가면 하루 1회 정도 복용하게 됩니다. 따라서 복용시간을 잘 맞추어야 최상의 효과를 볼 수 있습니다. 용량도 주치의가 정해준 약물을 복용하고 부작용 등의 문제가 있으면 주치의와 상의하여야 합니다.

술 또는 담배는 항정신병 약물의 농도를 낮추는 효과가 있습니다. 따라서 약물 복용 중에 술을 마시거나 흡연을 하면 실제로는 더 적은 용량을 복용한 것이 되어 치료효과가 줄거나 사라질 수 있습니다.

또 다른 신체질환 때문에 다른 약물을 복용해야 하는 경우에도 약물에 따라 항정신병 약물과 상호작용을 하여 항정신병약물의 농도를 낮추거나 반대로 높일 수도 있기 때문에 이 경우에도 주치의에게 알려야 합니다.

9) 약을 오래 먹으면 내성이 생겨 효과가 없어지는 것은 아닌가?

항정신병 약물은 내성을 일으키지 않습니다.

만일 내성이 나타나면 약물의 용량을 증량해야 하는데 항정신병 약물은 급성기가 지나 유지기가 되면 급성기보다 약물의 용량을 낮추는 것이 보통입니다. 따라서 항정신병 약물은 내성의 염려 없이 복용할 수 있습니다.

10) 두 가지 이상의 약물을 병용하는 것은 어떤 경우인가?

불가피하게 두 가지 이상의 약물을 병용해야 하는 경우가 있습니다. 이 경우 물론한 가지 약물로 만족할 만한 치료 효과가 없기 때문이기도 하지만 다른 보조치료제를 병용하는 경우도 있고 다른 증상의 개선을 위하여 효과가 다른 약물을 병용하는경우도 있으며 부작용을 줄이기 위한 약물을 병용하는 경우도 있습니다. 따라서 실제 약물 복용 시에는 두 가지 이상의 약물을 복용하는 경우가 많은 것입니다. 따라서 약물 복용 시에 여러 가지 약물을 복용한다고 해서 두려워할 필요는 없습니다.

17. 입원 및 외래치료와 재활치료가 궁금해요.

1) 입원치료는 언제 해야 하나?

입원치료를 해야 하는 경우는 다음과 같습니다.
1. 진단이 명확하지 않을 때 정확한 진단을 내리기 위하여 환자를 병동에서 충분히 관찰할 필요가 있을 때 합니다.
2. 환자의 정신병적 증상이 너무나 심하여 가족들이 돌보기 힘든 상황, 즉 계속 혼잣말을 하거나, 갑자기 화를 내고 소리를 지르고, 음식을 먹지 않고 씻지도 않고 잠도 자지 않을 경우에 합니다.
3. 환자의 환청이나 망상증상으로 인해 자해를 할 위험이 있거나 자살시도를 할 위험이 있을 때, 또는 타인을 해칠 위험이 있을 때에는 반드시 입원치료를 해야 합니다.
4. 환자가 스스로 병을 인식하지 못해서 치료를 거부하는 경우 약물치료를 하기 위해서 입원하며, 외래에서 약물치료 도중 약물의 부작용이 심하게 나타날 때 이를 해소하기 위하여 입원하기도 합니다.

2) 환자가 입원을 원하지 않을 경우에는 어떻게 해야 하나?

급성 정신병 시기의 환자는 병에 대한 자기인식이 없으므로 가족의 동의 하에 강제적으로라도 치료할 필요가 있습니다. 극심한 흥분상태에 있거나 난폭한 환자를 강제로 입원시킬 경우에는 가족, 친지 중 여러 남자 보호자들이 환자를 응급실로 데리고 오거나 119 또는 129 구급센터에 연락을 하여 대원들에게 도움을 청하면 됩니다. 사정이 여의치 않을 경우 인근 경찰의 도움을 받아 입원 시키는 경우도 있습니다.

3) 퇴원계획은 어떻게 세우면 되나?

입원 후 증상이 호전되기 시작하면 환자는 입원 도중에 미리 가족과 함께 퇴원 이후 발생할 수 있는 문제에 대한 계획을 세워야 합니다. 또한 가족들은 이 문제에 대해 주치의와도 함께 의논할 필요가 있습니다. 퇴원 후 집에 돌아가서 문제 없이 잘 지낼 수 있는지를 미리 확인하기 위해 퇴원 전에 한 두 차례 외출 및 외박을 다녀오는 것이 안전합니다. 외박 시에 적응문제가 발생하면 증상조절을 위해 입원기간을 연장하거나, 문제를 예방하기 위한 대책을 충분히 마련한 뒤에 퇴원하는 것이 좋습니다. 환자가 가족 면회 시에 퇴원을 지나치게 조르는 경우에는 퇴원시기를 조금 늦추는 것이 좋습니다. 왜냐하면 환자의 요청에 못 이겨 가족들이 치료자의 만류에도 불구하고 자의퇴원 시켰을 경우, 환자가 이후의 치료를 거부하는 경우가 많아 그 동안의 치료가 실패할 위험이 높기 때문입니다.

사회사업가는 퇴원 이후 재활치료 계획에 대해 가족에게 여러 가지 도움을 줄 수 있습니다. 사회기관이 운영하는 지역사회 정신보건 센터의 프로그램에 대해 조언을 줄 수 있고 직접 환자를 그곳에 연결해 주기도 합니다. 또한 퇴원 후 집으로 가는 것이 좋은지 다른 거주지로 가는 것이 좋은지를 결정하는 데 도움을 줄 수도 있습니다. 하지만 가급적이면 환자가 퇴원 후 부모, 형제, 자매 등 가족들과 같이 지낼 수 있도록 해주는 것이 무엇보다 중요합니다.

4) 퇴원 후 치료는 어떻게 해야 하나?

입원치료로 증상이 좋아지면 환자는 외래진료와 낮 병동 치료를 병행하는 것이 좋습니다. 외래진료는 약물로 증상이 호전되고 환자가 치료에 협조적인 경우에 시작합니다. 외래진료에 오는 횟수는 환자의 상태에 따라 다르게 정해집니다. 환자의 증상이 심하거나 악화될 경우에는 최소 일주일에 한번 이상 외래를 방문해야 재입원을 막을 수 있습니다. 환자의 상태가 안정되고 증상이 약물로 잘 조절될 경우에는 수주일 간격으로 외래를 방문하는 것이 통례입니다.

외래 진료 시에는 주로 약물치료와 지지적 정신치료를 하게 되며, 낮 병동은 심리사회적 재활치료를 담당하게 됩니다. 낮 병동에 다니려면 무엇보다도 환자의 자발적인 동의가 무엇보다 중요합니다. 가족의 요구에 의해 마지못해 낮 병동에 다니는 환자는 치료 프로그램에 적극적으로 참여하지 않으며 때로는 낮 병동을 자주 결석하기도 합니다. 낮 병동의 초기 적응시기에는 가족이나 보호자가 환자를 직접 데리고 오는 것이 좋으며 이후로 점차 환자 스스로 낮 병동에 다닐 수 있도록 합니다.

5) 지지적 정신 치료란 무엇인가?

지지적 정신치료는 환자에게 우정, 격려, 지역사회의 접근이나 적극적 사회활동에 대한 실제적 조언, 직업상담, 가족들과의 마찰을 줄이는 법 등을 알려줄 수 있는 상담치료 방법입니다. 이는 무엇보다도 삶의 질을 향상시키는데 도움이 됩니다. 지지적 정신치료가 효과가 있으려면 먼저 환자와 치료자 간에 치료적 신뢰관계를 형성하는 것이 무엇보다 중요합니다. 이때 치료자는 환자의 보조적 자아 역할을 해주게 됩니다.

지지적 정신치료 시에는 과거에 일어났던 일 보다는 현재의 일상생활에서 부딪칠 수 있는 문제들을 다루게 됩니다. 일반적으로 정신치료에는 일상의 문제해결을 도와주고 심리적 안정을 도모하는 지지적 정신치료와 무의식적 갈등을 탐구하는 통찰정신치료의 두 가지가 있습니다. 그런데 심리적 방어기제가 취약한 정신분열병 환자에게는 무의식을 자극하는 통찰정신치료는 효과가 없으며 오히려 증상을 악화시

정신분열병
바로알기

킬 수 있다고 알려져 있습니다. 하지만 이는 정신분열병 환자가 자신의 상태를 이해하고 있는 것이 도움이 되지 않는다는 의미는 아닙니다.

증상의 정도에 따라 지지적 정신치료는 환자가 급성악화 시 일어난 사건과 감정을 회상해 봄으로써 조기증후를 알고 관찰할 수 있게 할 수도 있습니다.

지지적 치료는 약물관리 방법, 사회화 방법, 재정관리법, 구직과 같은 일상생활의 기술들을 교육시키기도 합니다.

6) 낮 병동 치료란 무엇인가?

퇴원 후 치료는 외래를 다니며 약물치료를 하는 것만으로는 충분치 않습니다. 정신분열병은 뇌의 병이므로 발병 후 생긴 여러 가지 뇌 기능의 장애를 호전시키기 위한 비약물적 치료가 필요합니다. 또한 정신분열병은 만성 질환이므로 환자가 효과적으로 투병생활을 할 수 있도록 심리 사회적인 지지치료가 필요하며 나아가 사회적, 직업적 적응을 효과적으로 해나갈 수 있도록 일정한 훈련이 필요합니다. 이러한 재활치료를 담당하는 곳이 바로 낮 병동 프로그램 입니다.

낮 병동은 대개 매일 일정한 시간대에 환자가 출석하여 치료자가 진행하는 여러 가지 프로그램에 참여하게 됩니다. 현재 낮 병동을 운영하는 곳은 각 지역의 종합병원 정신과, 정신병원, 정신보건센터 등입니다.

낮 병동 프로그램에는 지지적 사회기술훈련, 가족교육, 집단정신치료, 인지행동치료, 인지재활치료, 직업훈련, 미술치료, 음악치료 등이 포함됩니다. 프로그램을 선택하는데 가장 중요한 것은 적극적인 참여를 할 수 있는 환자의 욕구와 선호도입니다.

가족의 역할은 환자에게 지시하는 것 보다는 지지하는 쪽으로 되어야 합니다. 이러한 프로그램들은 환자에게 안정된 일상을 제공하고 치료자에게는 환자의 호전을 관찰할 수 있는 기회를 제공합니다.

7) 사회기술훈련은 무엇인가?

사회기술훈련은 환자에게 대인관계에서 장애가 되는 증상들을 설명해주고, 대인관계를 증진시킬 수 있는 기법을 훈련시키는 것입니다.

원활한 대인관계를 가로막는 증상들은 대화 시에 눈을 맞추지 않는다거나 대답을 하지 않고 우물쭈물 한다거나 무표정한 얼굴표정, 행동의 자발성이 부족하여 가만히 있는다거나 타인의 감정을 잘못 해석하는 것 등입니다.

대인관계를 증진시키기 위해서 일반인과 대화하는 환자를 함께 찍은 영상물을 비교 관람시키고 어색한 점을 지적해 줍니다. 그리고 실제 상황을 대비하여 역할연습을 하게 되는데, 환자는 치료자와 특정한 상황에서의 역할을 서로 가상으로 설정하고 대화를 나누는 연습을 하게 됩니다. 역할연습이 끝나면 다음 치료시간까지 개인적으로 특정상황을 지정해 주고 이에 대한 실전훈련을 숙제로 내줍니다.

8) 가족교육은 무엇인가?

치료자는 환자의 가족에게 정기적으로 정신분열병에 대해 교육을 하게 됩니다. 교육내용은 정신분열병이란 어떤 병인지 의학적으로 이해를 시키는 것에서 출발하여 가족들이 환자의 일상생활을 어떻게 도와주어야 할 것인지, 환자의 증상이 악화될 경우에는 어떻게 대처해야 할 것인지, 환자가 치료를 거부할 경우에는 어떻게 해야 할지를 알려줍니다. 그리고 가족내의 갈등이 환자와 연관되어 있을 경우, 이에 개입하여 치료적 자문을 시행할 수도 있습니다. 가족교육 시에는 환자도 함께 참석하는 것이 권장됩니다.

9) 집단 정신 치료란 무엇인가?

집단 정신 치료란 정신분열병 환자들이 모여서 치료자와 함께 대화를 나누는 지지적 정신치료를 말합니다. 이때에는 마음속 깊은 곳, 또는 무의식에 있는 심층심리적 문제를 다루지는 않으며 주로 환자들의 일상적 문제들을 같이 의논하고 해결점을 찾습니다. 또한 대인관계에서 발생하는 갈등이나 오해에 대한 대처법을 함께 토론하기도 합니다. 무엇보다 중요한 것은 환자들에게 정신분열병에 대한 교육을 하고 치료 중 생기는 문제들에 관해 의논하는 것입니다. 특히 환자들의 병식에 대한 문제는 민감한 사항입니다. 환자가 급성기의 정신병적 시기를 벗어나 상대적인 안정기에 들어서면 자신의 병에 대한 어떤 인식이 생기게 되는데 이를 병식이라 부릅니다. 자신의 병을 잘 이해하는 환자도 있지만 병을 전면적으로 부인하거나 또는 병이 있음을 알고 비관하는 경우도 있습니다. 집단정신치료에서는 이러한 병식의 문제를 해결하기 위하여 경험 있는 환자들의 상호 조언과 치료자의 설명이 이루어지게 됩니다.

10) 인지행동 치료란 무엇인가?

정신분열병은 환자에게 사고와 감각의 장애를 일으킵니다. 환청이나 피해망상과 같은 증상들이 여러 환자들에게 흔히 발생합니다. 환자들은 이러한 체험에 대해 처음에는 당황하지만 이후로 그런 비정상적인 체험을 사실로 받아들이게 되며, 그 결과 잘못된 믿음 즉 인지적 왜곡이 발생하게 됩니다. 인지행동치료는 이러한 인지적 왜곡을 합리적으로 교정해주는 치료입니다.

인지행동치료는 환각이나 사고의 왜곡 뿐만이 아니라 내가 누구인지 혼란스러운 정체성의 문제, 병식의 문제까지 다루게 되며 그러한 증상들로 인한 불안이나 공포를 극복할 수 있도록 환자에게 여러 가지 대처방식을 알려주고 훈련시킵니다.

11) 인지재활 치료란 무엇인가?

정신분열병 환자들은 사회업무나 직업생활을 할 때 기억력, 집중력, 판단능력 등 인지기능의 저하로 인해 수행능력에 장애가 생기게 됩니다. 인지재활치료는 이러한 인지기능을 강화시키기 위한 치료 프로그램입니다.

인지재활치료는 다음의 치료프로그램들로 구성됩니다.

1. 주위환경에 대한 관심과 자각을 증진시키는 지남력 훈련

2. 특정한 목표에 주의를 집중시키는 능력과 지속적으로 집중할 수 있는 힘을 증진시키는 주의력 및 집중력 훈련

3. 청각적 기억력과 시공간적 기억력에 대한 훈련을 시키고 기억력을 증진시키는 방법을 익히는 기억력 훈련

4. 사물의 속성을 구별하여 각기 범주화 시킬 수 있는 능력과 이를 개념적 수준에서 조직화 시킬 수 있도록 하는 변별력 및 조직화 훈련

5. 일상행동에 대해 목표를 세우고 계획을 세운 뒤 이를 처리해 나가는 연습을 하고 나아가 다양한 문제해결 방법을 익히는 실행기능훈련

12) 직업훈련은 무엇인가?

정신분열병이 발병하는 시점은 대개 환자들이 사회, 직업적 생활을 시작하기 이전인 10대 후반에서 20대 초, 중반이기 때문에 발병 이후에는 직업적 기능을 새롭게 습득해야 할 필요성이 생깁니다. 또는 발병시점이 20대 후반 이후라서 환자가 이미 직업생활을 했던 경험이 있을지라도 발병 후 인지기능의 저하로 인해 발병이전과 같은 직업적 기능을 수행하기가 어려워집니다. 직업훈련은 환자를 사회에 적응시키기 위한 마지막 단계로서 새로운 기술습득을 훈련시키거나 이전에 습득된 기술에 대한 재습득 훈련을 시키는 것을 말합니다.

18. 환자에게 무엇을 해 줄 수 있을까요?

1) 가족들이 집에서 해야 할 일은 무엇인가?

가족들은 환자가 병원에서 퇴원 후 집으로 돌아올 때 무슨 일이 일어날 지에 대해 걱정이 많습니다. 가족들은 환자에게 어떻게 행동해야 할지, 무슨 이야기를 할지, 어떠한 기대가 현실적일 지에 대해 알고 있어야 할 필요가 있습니다.

환자들의 장애정도에 맞추어서 가능한 한 독립적인 생활을 할 수 있도록 가족들이 도와주는 것이 가장 좋습니다. 환자들의 독립적 생활능력은 질병 발생 이전의 상태와 큰 연관성이 있습니다. 발병시점이 나이가 어릴수록 독립생활 능력은 저하됩니다. 또한 질병 발생시의 나이가 현재의 문제를 어떻게 대처해 나가는지에 주요한 요인이 될 수 있습니다. 대개 질병 발생 전에 기술습득과 사회발달이 많이 되었을 수록 환자의 기능은 더 좋습니다.

환자가 독립적으로 생활하는 것을 도와주는 것은 병원에서 퇴원하면서부터 시작됩니다. 그러나 이것은 수많은 시행착오를 통하여 가능하다는 것을 알아야 합니다. 이러한 과정을 경험해 본 가족들은 이 과정이 다른 질환자(심장병, 암, 당뇨)와 같이 환자의 관점에서 환자와 가족이 새로운 환경을 다루는 것을 배워야 함을 강조하고 있습니다.

퇴원환자에게는 식사, 운동, 일, 사회적 업무가 상당한 모험이 됩니다. 초기에는 정기적으로 약물을 복용하고 치료과정에 참여하는 것이 환자의 일상 중 한 부분이 되어야 합니다. 다른 가족들은 환자에게 이야기하고 행동하는 가장 효과적인 방식을 배워야 합니다.

2) 안전사고는 어떻게 예방해야 하나?

환자가 집에 돌아오기 전 우선적으로 고려해야 할 것 중의 하나는 안전에 대한 것입니다.

비록 가족들은 영원하고 장기적인 완화상태를 희망할 수 있으나 이것은 대부분의 환자에서는 불가능합니다. 환자가 판단력이 저하된 상태에서 우울하게 보이고 자살에 대해 이야기하면 성냥, 약물, 독극물, 날카로운 물건 등에 주의를 기울일 필요가 있습니다. 환자의 상태가 불안정하여 사고의 위험이 높을 경우에는 가족 중 누군가가 계속 환자를 지켜보아야 하며 치료자와 대책을 의논해야 합니다.

3) 흡연과 운전은 어떻게 해야 하나?

많은 환자들이 심한 흡연자들인데 흡연과 관련하여 집안의 규칙이 필요할 수도 있습니다. 흡연하는 양과 장소에 대하여 규칙을 정하고 화재를 예방하기 위하여 담뱃불을 끄는 것에 대하여 반복적으로 환자를 교육시켜야 합니다. 자동차 운전은 환자의 상태가 충분히 호전된 이후에야 가능합니다. 운전하기 전에는 반드시 치료자와 의논하여 운전해도 좋다는 승인을 받아야 합니다. 운전면허 갱신이나 적성검사를 하러 갈 때에는 치료자의 진단서가 필요합니다. 환자에게 공격성과 폭력의 징후가 보이면 사고를 예방하기 위하여 운전하지 못하도록 자동차의 문을 잠그는 것이 현명할 수도 있고, 환자가 무리하게 운전을 하려고 하면 차문을 잠근 채로 안전한 곳에 숨겨 놓을 수도 있습니다. 또한 약물로 인해 피곤하거나 졸음이 올 때의 운전의 위험성을 설명해 주어야 합니다.

4) 음주와 불법약물은 어떻게 해야 하나?

환자가 집으로 돌아온 초기에는 약물과 알콜의 위험성, 성에 대한 궁금증에 대해 솔직하게 논의하는 것이 좋습니다. 접근방식은 환자의 성숙정도에 맞추어야 하고 치료자에게 이러한 것을 의논하는 가장 좋은 방법을 문의할 수도 있습니다.

환자들은 약물과 알코올이 항정신병 약물의 효과를 방해할 수 있다는 것을 충분히 교육 받아야 합니다. 불법 약물과 알콜의 과다한 복용은 치료상의 어려움을 유발할 수 있고 정신분열병에 의한 정신병적 상태와 구분이 어려운 정신병적 증상을 유발할 수도 있습니다. 주사에 의한 불법약물의 사용은 AIDS를 유발하는 균의 감염가능성으로 인하여 큰 위험을 초래할 수도 있습니다.

5) 성생활은 어떻게 해야 하나?

성생활도 가족들에게는 어려운 문제일 수 있습니다. 약물이 성적 욕구를 감소시키는 경향이 있으나 이것은 약물의 용량을 감소시킴으로써 해결될 수 있습니다. 외로움, 사회적 인정 욕구, 타인을 쉽게 믿는 경향, 또래 친구들의 압력으로 인하여 젊은 사람들은 쉽게 잘못된 성적 행동을 하거나 희생자가 되기 쉽습니다. 하지만 이들은 이러한 위험성을 모르는 경우가 종종 있고 정신분열병을 가진 젊은 사람들에서는 훨씬 어렵습니다. 환자들은 친구가 없기 때문에 AIDS나 성 접촉성 질환의 감염에 노출되는 상황과 연관되는 인간관계에 매달릴 수 있습니다. 여자에게는 원하지 않는 임신이라는 위험이 추가됩니다.

남자든 여자이든 간에 환자들은 성적 접촉 전에 콘돔과 피임약을 사용할 것을 교육 받아야 합니다. 피임약을 복용하고 있고 피임약이 충분한 보호역할을 한다고 생각하는 여성에게는 임질과 매독, AIDS와 같은 감염에 대해 충분히 설명해 주어야 합니다. 가능하다면 가족들은 환자가 친구들을 집으로 초대하는 것을 격려해주어야 합니다. 만약 여자환자가 남자와 가까이 지내게 되면 환자에게 가족들이 남자친구를 만나고 싶어한다고 이야기하고 식사 초대를 권유할 수 있습니다. 또한 남자친구에 대해 자세히 알기 전 까지는 공공장소에서만 만날 것을 충고할 수도 있습니다. 또한 혼자서 남자의 집에 찾아갔을 때 발생할 수 있는 문제에 대해 미리 설명해 주어야 합니다.

정신분열병 환자는 흔히 어른보다 아이들과 같이 있을 때 더 편안할 수 있습니다. 이러한 것이 성적 관심을 의미하는 것은 아니지만, 남자와 어린이들에게는 가능한 문제일 수도 있습니다. 그렇기 때문에 이러한 행동은 주의 깊게 관찰되어야 합니다. 정신분열병을 가진 어린 여자는 어른의 성적 접근에 취약합니다.

옷차림에 무관심한 것도 문제가 될 수 있습니다. 바지를 열고 있는 것은 노출로 보일 수 있으나 이런 행동은 반드시 의도된 것이 아니라 단순히 무의식적 부주의함의 결과일 수 있습니다. 어떤 정신분열병 환자는 공공장소에서 자위행위를 할 수도 있습니다.

가족과 성적인 문제를 현재의 기준과 젊은 세대의 관점에서 이야기하는 것은 중

요한 문제입니다. 성 도덕이 가족들에게는 중대하게 보일 수 있으나 안전문제가 우
선시 되어야 합니다. 정신분열병 환자는 폭력, 강간, 원하지 않는 임신, 원하지 않는
구애, 불법적 행위, 질병의 전파에서 보호되어야 합니다.

6) 집으로 돌아온 초기에는 환자를 어떻게 대해야 하나?

다음의 제안들은 환자에 대한 대처방식에 도움을 줄 수 있습니다.
1. 천천히 낮은 목소리로 이야기합니다.
   혼란을 피하기 위해 짧고 간단한 문장을 사용합니다. 필요하다면 같은 단어로
   말과 질문을 반복합니다.
2. 무엇을 하고 있고 왜 하는지에 대해 분명하게 설명합니다.
   예를 들면, "나는 네 옷장에 깨끗한 옷을 넣고 있다. 너는 오늘 입고 싶은 옷을
   고를 수 있다."
3. 구조화되고 정규적인 일과표를 세웁니다.
   이는 예측가능하고 지속적이어야 합니다. 마음대로 일과표를 바꿀 수 있다고
   말해주지 않습니다.
4. 칭찬을 계속합니다.
   환자가 3일 동안 머리를 빗지 않았을 때, 머리를 빗으면 얼마나 매력적으로 보
   이는지를 이야기 해줍니다.
5. 과다한 자극은 피하고 스트레스와 긴장을 줄입니다.
   예를 들어 가족 모두와 함께 식사하는 것은 초기에는 환자에게 당황스러운 일
   일 수 있습니다.
6. 환자에게 약을 복용하고 치료자와의 약속을 지킬 것을 권유하나 강요하지는 않
   습니다.

7) 초기적응단계 이후에는 환자를 어떻게 대해야 하나?

시간이 지나면, 환자들은 더 책임감 있게 행동할 수 있는 가능성을 보일 수 있습니

다. 스트레스를 줄이기 위해 위의 항목들을 항상 유념해두어야 하나 가족들은 초기 적응단계가 지나면 그 시기에 맞는 제안을 알고 있어야 합니다.

1. 환자들이 더 많은 일을 하는 것에 대해 어떻게 느끼는지 의논합니다.
2. 자기관리법-위생, 옷 입기, 규칙적 식사를 습득합니다.
3. 환자의 능력 안에서 집안 일에 대한 책임을 줍니다. 환자가 혼자 일하는 것을 선호하는지 다른 사람과 일하는 것을 선호하는지 관찰합니다. 예를 들어, 접시 닦는 것을 좋아할 수 있으나 다른 사람이 세탁하는 일은 도와줄 수 없을 수도 있습니다.
4. 사회적 모임에 참석할 것을 격려하나 강요하지는 않습니다. 한두 명의 친지나 친구와 저녁식사에 참여하는 것은 가능하나 결혼식과 같이 하루종일 진행되는 가족행사는 좌절감을 줄 수 있습니다.
5. 일주일에 한 번 씩 교외로 나가는 계획을 세웁니다. 시내에서 관광하는 것은 너무 소란스럽고 긴장될 수 있으나 시골에서 드라이브하거나 걷는 것은 즐거운 일입니다. 환자가 커피와 도너츠를 좋아한다면 격식 있는 식당보다는 도너츠 가게에서 휴식을 취할 계획을 세웁니다.
6. 캐묻지 않습니다. "무엇을 생각하고 있니?, 그것을 왜 하니?" 라고 항상 질문하지 말아야 합니다. 집 밖의 일들에 대해 간단하게 이야기합니다. : "이 영화 배우에 대해 이야기를 들어봤니?" 와 같은 질문은 환자들이 편하게 나눌 수 있는 대화 내용 입니다.
7. 환자와 대화를 나누기가 어렵다고 하나 환자는 다른 방식으로 교류를 즐기고 있다는 것을 이해합니다. TV시청, 음악 감상, 카드놀이를 생각해 볼 수 있고 어린 시절의 사건들을 이야기할 수도 있습니다. 환자들은 이것에 대해 고맙게 생각할 것입니다.
8. 지속적이고 사소한 비난을 피합니다. 솔직하고 직접적인 방식으로 주요한 행동을 구분하고 이것을 다루는 법을 배웁니다. 예를 들어, 많은 가족들에게는 환자의 불결함이 화가 나게 하는 원인이 되는데, "왜 씻지 않니?", "너한테서 지독한 냄새가 나" 라고 이야기 하는 것은 문제를 해결하는데 큰 효과가 없는 것으로 보

입니다. 이러한 문제는 "너한테서 나는 냄새를 가족들이 좋아하지 않는다. 네가 목욕을 정기적으로 하지 않는다는 것 때문에 힘들다. 어떻게 하면 네가 매일 씻겠다고 약속할 수 있겠니?" 라고 이야기하는 것이 더 효과적입니다.

9. 일부러 잊어버립니다. "나는 우유를 잊었는데 갖다 줄 수 있겠니?" 라고 이야기합니다.

10. 책임을 질 수 있도록 격려합니다. 예를 들어, 집에 늦게 들어올 경우에 스스로 저녁식사를 준비하는 것을 가르쳐 줍니다.

11. 사회적 용납이 가능한 방법으로 스트레스를 다루는 법을 가르쳐 줍니다. 예를 들어, 공공장소에서 불안을 느끼면 이런 감정이 사라질 때까지 화장실에 있을 수 있다는 것을 알려줍니다.

12. 가족들만이 유일한 친구일 수 있음을 기억합니다. 따라서 친구가 되도록 노력하고 친구처럼 이야기합니다. "나는 정말 이 영화가 보고싶은데 오늘 저녁에 나랑 같이 가 줄래?"

13. 교회나 절 또는 기타 종교기관에 다닌다면 신도 중에서 누군가가 환자의 친구가 되어줄 것을 권합니다.

14. 항상 환자와 가까이 있도록 하고 환자의 감정을 존중해 줍니다. "두려워 할 것은 아무것도 없어. 어느 곳에도 데리고 가지 않을 거야" 라고 이야기 해주고 "모든 것이 괜찮아. 잠시동안 내 옆에 앉아 있어." 라고 이야기하면서 공포스러워 하는 환자를 진정시킵니다.

15. 환자의 병에 대한 걱정을 존중해 줍니다. 종종 정신분열병 환자들은 가족들에게 자신의 병을 공개하지 말 것 즉, 공공연하게 이야기하거나, 자신을 대신해서 인터뷰하지 말 것을 이야기합니다. 비록 몇몇 가족들은 그들이 도움을 많이 줄 수 있다고 생각하나 그것은 환자의 욕구에 따라 결정하여야 합니다. 비록 환자에게 충분한 공감을 가지고 있어도 그러한 결정은 다른 문제입니다.

시간이 지날수록 환자들은 무엇인가를 할 수 있다는 자신감이 생기고 더 안정되어갑니다.

어떤 전문가들은 이런 시기에, 특히 가족들이 환자의 성장에 준비되어 있지 않을 때 새로운 문제가 나타날 수 있다고 이야기합니다. 즉, 가족들은 환자를 치료하는 과정을 수립해야 합니다. 회복기에 뒤쳐지고 있는 것은 오히려 가족들일 수 있습니다.

환자는 자신이 할 수 있는 것, 사회화나 학교에 가거나 직장을 구하는 등의 것에 어떤 합리적인 기대감을 가질 수 있는데 이것은 가족들이 환자의 호전 정도를 파악하고 있지 못하거나 목표를 재수정하지 않으면 가족 간에 문제가 생길 수 있습니다. 사회사업기관이 있다면 사회사업가와 접촉하여 환자에게 자신감을 갖게 해주고 사회사업가, 치료자, 다른 지지자들과 같이 논의하여 환자가 미래의 현실가능한 선택을 하는데 도움을 줄 수 있습니다.

8) 독립생활은 어떻게 준비해야 하나?

많은 경우에 정신분열병 환자의 가장 중요한 치료목표는, 가족적 배경의 차이로 인해 다양할 수는 있으나, 환자가 가정을 떠나서 충분히 독립적으로 살수 있게 하는 것입니다. 가족들에게는 이 문제가 보는 시각에 따라 네 가지의 이유로 중요한 문제가 될 수 있습니다.

첫째, 정신분열병 환자는 독립함으로써 최고의 능력을 보일 수 있고,

둘째, 지지자가 나이가 들고 병이 나고 죽게 되면 환자들은 생존기술을 거의 습득하지 못한 채 홀로 남겨지는 경우가 있을 수 있고,

셋째, 정신분열병 환자와 같이 사는 것은 지나치게 희생적인 면을 요구하여서 가족들은 자신의 일생을 환자를 돌보느라고 소진할 수 있기 때문이며,

넷째, 가족들이 지나치게 감정적이어서 어린 시절의 꿈과 기대가 분개로 바뀌어 환자가 집에 사는 것이 긴장과 좌절 뿐일 수도 있습니다.

가족과 환자가 독립적인 생활이 좋다고 동의한다면 그 시기는 정상적으로 독립하는 나이인 20대 초, 중반이 좋습니다. 많은 부모들이 이 문제를 회피하다가 결국 "나는 더 이상 견디지를 못하겠다. 네가 없어져 버렸으면 좋겠다." 라고 이야기하는데 이런 행동의 결과는 질병으로 인한 변화에 대해 죄책감과 분노만을 낳게 됩니다.

그러므로 독립의 과정은 서서히 진행되어야 합니다.

적절한 시기가 되면 "혼자 살기로 결정한다면..."이라고 가능한 자주 이야기를 시작할 수 있고 점차적으로 "혼자 살기로 결정할 때..."라고 바꿀 수 있습니다.

예를 들어, "혼자 살기로 결정한다면, 세탁을 어떻게 할지 배우는 것이 필요할 수 있다." 이후에는 "혼자 살기로 결정할 때, 세탁기 사용법을 배운 것을 기쁘게 생각할 것이다." 라고 할 수 있습니다.

어느 시점에서는 독립할 시기를 가족과 환자가 같이 결정할 수 있는데 사회사업가와 같이 한다면 거주할 곳을 찾고 준비하는데 더 많은 시간을 가질 수 있습니다. 예를 들어, 6개월 이후, 즉 5월 1일로 결정할 수 있고, 환자는 자신과 가족이 가장 적합하다고 판단한 어떠한 집에서라도 자신의 힘으로 사는 것을 준비할 수 있을 것입니다.

9) 환자가 독립생활을 시작하면 가족이 어떻게 도와주면 좋은가?

일단 독립을 한 후에는 환자에게 분노가 생길 수도 있는데 가족들에게 버림받았다고 느끼지 않도록 도와주는 것이 매우 중요합니다. 초기 몇 주 동안은 독립이 긍정적인 진보라는 것을 강화시키기 위해서 노력해야만 합니다.

구체적인 내용을 말씀 드리겠습니다.

· 친구가 되어줍니다. 환자에게 전화하여 어디를 가거나 무슨 일을 할 약속을 합니다.
· 칭찬과 지지를 반복하여 자신감을 갖도록 도와줍니다.
· 환자의 욕구와 걱정을 존중합니다.

정서적 지지 외에도 가족들은 숙제, 쇼핑, 요리, 재정관리 같은 일들을 같이 해야 합니다. 일상생활에 의존도가 높은 것은 병의 상태와 연관됩니다. 가족들은 자신이 이러한 일을 할 때 환자와 같이 할 수 있도록 합니다.

가족 배경과 통념이 허락한다면 시간이 지날수록 관계가 덜 밀착적이도록 해야 합니다. 초기에는 환자가 매 주말마다 찾아오도록 할 수 있으나 이것은 초기 몇 주나 몇 달 정도가 좋다고 하며 그리고 나서는 환자가 집에 올 때 주말에 일을 하는 것을 시도할 수 있습니다. 이것에 대해 "우리는 다음 주말에 만날 수 있다" 라고 타당한 이유를 제시할 수 있고 점차적으로 한 달에 한 두 번으로 방문 횟수를 줄일 수 있습니다. 또한 초기에는 하루에 3-4회씩 전화를 하게 할 수 있으나 이것이 지속된다면 자동 응답기를 사용하는 것이 도움이 될 수 있습니다. 그리고 적당한 시간에 전화를 걸어볼 수 있습니다. 시간이 가면서 환자는 자신감이 생기고 전화횟수도 정상적으로 될 수 있습니다.

10) 사회적, 직업적 재활은 어떻게 준비해야 하나?

재활프로그램에 참여할 경우, 이상적으로는 입원과 외래통원 치료가 재활치료와 연속성을 가지고 연결되어야 합니다. 현재는 대부분의 지역에서 정신건강증진프로그램이 시행되고 있으며, 효과적인 치료목표와 증가하는 비용문제가 숙고되고 있습니다. 이러한 접근의 취지는 많은 프로그램이 병원보다 지역사회에서 더 효과적일 수 있도록 하는 것입니다.

병원에서 퇴원하기 전에 환자들은 지역사회로의 복귀를 용이하게 하는 많은 프로그램에 접하게 됩니다. 이것에는 사회기술, 직업상담, 학업기술 훈련, 사회적 오락 활동 등을 포함합니다.

지역사회로 환자가 돌아오면 독립적 생활을 할 수 있는 정도가 어느 정도인지, 필요한 지원이 무엇인지 평가되어야 합니다.

건강관리 전문가에 의한 평가가 수행된 이후에 가족들은 무엇을 해줄 수 있는지 찾아보아야 합니다. 그러나 전문가의 도움이 유용하지 않다면 가족들 스스로 이러한 평가를 할 수 있도록 해야 합니다.

여기에는 많은 요소가 연관이 됩니다.

· 입원 전 어떠한 기술을 가지고 있었는가?
· 이것이 입원시의 프로그램에 의해 강화되었는가?

· 환자가 과거에 직업을 가져 본 경험이 있는가? 어떤 기회가 있었는가?
· 유용한 중간단계의 증진을 주는 보호프로그램이 있는가?
· 자원봉사 일을 출발점으로 생각하고 있는가?
· 복지혜택을 받는다면 어떻게 영향을 주고 있는가?

　이중에서 가장 중요한 것은 비록 간단한 것이나마 직업을 가질 준비가 되어 있는가 하는 것입니다. 많은 것들이 자신의 사회 기술과 자신감에 달려 있습니다. 가족들은 강요를 하면 안되며 환자가 자발적으로 시작할 수 있도록 합니다. 그러나 환자를 도와주고 격려할 수 있도록 해야 합니다.

　대부분의 지역에는 시, 군에서 운영하는 정신보건센터가 설립되어 있습니다. 이것은 적은 비용으로 정신질환자들의 재활치료를 돕기 위해 고안되었는데 무료 혹은 적당한 가격의 음식, 사회활동, 오락 활동, 장애자 고용 등을 제공합니다. 대부분의 이러한 기관들은 지역사회 고용주와 연계하여 환자의 수준에 부합하는 직업을 제공하기도 합니다. 또한 지지정도에 따라 집안 일을 하게 하기도 합니다.

　많은 가족들은 이러한 프로그램이 참여가 가능한 환자에게는 우수한 결과를 준다고 평가하고 있습니다.

　독립한 경험이 있는 환자의 가족들은 이 시기에는 많은 걱정이 있다는 것을 알고 있습니다. 가족 지지그룹이 가족과 환자가 직면하는 많은 일상의 문제를 해결하는데 조언을 줄 수 있다는 것을 기억해야 합니다.

19. 가족은 환자를 어떻게 도와줄 수 있을까요?

많은 가족들이 환자가 병원에서 퇴원할 때 중요한 문제는 해소되었고, 환자가 회복의 과정을 잘 밟아나갈 것을 희망한다고 이야기합니다. 적절한 약물과 치료로 환자가 완치가 될 때까지 점차적으로 좋아질 것이라고 믿고 있습니다. 그러나, 놀랍게도 가족들은 새로운 문제들을 대하게 되고 이러한 문제에 부딪쳐 본 가족들은 미리 준비하고 있는 것이 최선이라고 믿고 있습니다.

1) 재발의 징후는 어떻게 알 수 있나?

정신분열병에서 재발이라는 것은 급성증상이 다시 나타난다는 것을 의미합니다. 재발을 의미하는 행동들은 보통은 첫 발병 전에 보인 것과 유사하게 나타납니다. 흔한 행동으로는 잠을 자지 않거나, 아무것도 하지 않고 가만히 있으려 하는 사회적 철퇴가 심해지고, 개인위생이 불량해지고, 생각과 말이 이상해지고, 환시와 환청의 증상이 나타나는 것들입니다. 이러한 행동들이 보이면 즉시 치료자와 연락을 취해야 합니다.

재발은 여러 가지 이유로 발생하기도 하고 분명한 이유 없이 발생하기도 합니다. 때로는 급성증상이 다시 나타날 정도의 장시간 동안 약물복용을 중지해서, 때로는 약물의 용량이 급성증상의 발현을 방지하는데 충분치 않아서이기도 합니다. 환자가 집이나 지역사회에서 충분한 지지를 받지 못해 괴로워 할 수도 있고 최근에 사랑하는 사람의 죽음, 실직, 이사와 같은 심한 정신적 스트레스를 경험했을 수도 있습니다. 때로는 단순히 육체적으로 지친 상태이거나 호전된 기분을 느끼기 위해 알코올이나 불법약물을 복용하고 있을 수도 있습니다.

원인이 쉽게 해결될 수 있는 경우도 있는데 예를 들면, 약물용량을 증가시키거나 단기간 입원이 필요할 수도 있고, 더 많은 지지가 요구될 수도 있습니다.

전문가들은 재발은 자가치료(self-cure) 기간에 발생할 수 있다고 이야기합니다.

보통은 정신분열병 진단 후 3-5년이 지난 후 자가치료를 시도하는데 이 시기에 환자는 질병에 지친 상태로 스스로 문제를 해결하려고 합니다.

환자는 약물복용을 중단하고 이단종교에 가입하거나 몸에서 마귀를 몰아내려고 시도하거나 격렬한 운동으로 병을 치유하려고 하거나 다량의 비타민이나 한약으로 치료하려고 하기도 합니다.

재발은 매우 낙담스러운 것입니다. 한 어머니는 이야기하기를 "정신분열병 환자는 특히 나이가 어릴 때에는 다른 질환자와는 상당히 다릅니다. 이들은 적절한 치료계획을 따르지 않고 영양가 있는 식사를 하지 않고 약물복용을 잊고 치료약속에 빠지고 나에게 이야기하는 당신은 누구냐 라는 태도를 갖습니다." 라고 하였습니다.

많은 가족들이 환자 상태가 좋을 때는, 재발이 가능할 때 어떻게 할 것인지에 대해 환자와 같이 상의할 수 있다고 합니다. 이것은 치료자와 같이 논의되어야 하는데 예를 들면, 지나치게 공격적 행동을 보인 아들과 상의한다면 가족들은 환자가 다시 위협적인 폭력이나 재산을 파괴한다면 집을 떠나 경찰 또는 부모와 같이 병원에 갈 수 있으며 더 이상 집에 남아있을 수는 없다는 것을 분명히 해 둘 수 있습니다. 약속을 어겼을 때에는 난동을 신고하고 경찰을 부를 수 있다는 이야기를 해줍니다.

덜 폭력적인 환자가 있는 가족들은 재발했을 때 환자가 도움을 구한다면 집에서 계속 있을 수 있다고 이야기하는 것으로도 충분합니다.

가족들이 환자의 질병경과를 파악하고 있는 것이 재발을 방지하는데 가장 중요한 것입니다. 정신분열병 환자들은 재발의 징후를 알고 의사와 접촉하는 방법을 배워야 합니다. 또한 조절불능상태에서 경찰에 연락을 취하는 방법을 배워야 하는 경우도 있습니다. 환자와 함께 재발징후와 대처방안 리스트를 작성하는 것이 도움이 됩니다.

2) 당황스러운 행동에는 어떻게 대처해야 하나?

가족들은 환자의 당황스러운 행동을 두 가지 방식으로 다룰 수 있습니다. 즉, 환자와 함께 어떠한 행동에 견딜 수 있고 어떠한 행동에 견딜 수 없는지에 대해 이야기하고, 왜 가족들이 당황스러워 하는지에 대해 알아보는 것입니다.

행동에 대해 환자와 이야기하는 것은 생각보다 훨씬 쉬운 일입니다.

한 어머니는 다음과 같은 이야기를 들려 주었습니다. "아침시간의 딸의 행동에서 나는 이것을 다룰 수 있는 정당한 방법만을 찾으려고 했습니다. 나는 딸이 상처 받지 않도록 하기 위해 긍정적인 방법으로 교정하기를 원했습니다. 그 결과, 때로는 어떻게 할 줄을 몰라 아무 것도 하지 않았습니다. 예를 들면, 어느 날 내 아들이 이야기하기를 친구를 만날 때마다 동생이 친구들 틈에 끼어 당황스러운 행동을 한다고 했습니다. '내가 이것에 어떻게 할 수 있을까?' 나는 며칠동안 이러한 상황을 현명하게 해결할 수 있는 방안을 찾으려고 고심했습니다. 그러다 아들이 자신이 다루어 보겠다고 이야기하고는 동생에게 간단하게 이야기했습니다. '내가 친구들과 같이 있을 때는 나는 혼자서만 친구들하고 있고 싶어' 아들은 직접적이고 솔직하게 이야기했고 딸은 상처 받지 않았습니다.

많은 가족들은 직접적인 접근이 때로는 더 좋을 수 있다는 데 동의합니다. "그것은 부적합한 행동이야" 라고 이야기하는 것이 행동을 바꿀 수 있습니다.

이러한 것은 반복되어야 할 수도 있습니다. 가족들은 환자가 자신의 행동이 부적절하다는 것을 모를 수도 있다는 것을 알아야 합니다. 따라서 간단하게 이야기해주는 것만으로도 변화시킬 수 있습니다. 예를 들면, "아주머니가 천식으로 고생하고 있으니까 여기에서는 담배를 피우지 말아라." 라고 이야기해 줄 수 있습니다.

가족들은 환자와 적절한 행동을 협상하려고 하는데 이렇게 하는 것의 위험성을 신중하게 고려해 보아야 합니다. 즉, "네가 저것을 하지 않고 이것을 하면 밖에서 저녁식사를 할 수 있고 새로운 레코드를 살 수 있고 드라이브를 할 수 있다." 는 등입니다.

언제나 그렇듯이 결과를 얻는 능력은 문제의 현실적 판단과 인정에 달려 있을 것입니다. 어떤 행동들은 다른 것에 비해 더 많은 시간이 필요할 수 있다는 것을 기억해야 합니다. 많은 환자들이 시간을 필요로 합니다.

어떤 경우에는 충분한 개입 없이 당황스러운 행동이 순간적인 충동으로 발생할 수 있습니다. 이럴 때 가족들의 태도를 조사해볼 필요가 있습니다. 뇌 기능의 문제가 있는 질환을 앓고 있는 사람의 행동에 왜 그렇게 당황하는가? 물론 정답은 다른 사람들이 부적절하게 행동하고 있는 환자보다는 자신을 쳐다보고 있다고 느끼며 그러므로 자신에게 문제가 있다고 생각하고 있다고 가정하기 때문입니다. 이것은 파티에서 만취한 사람이 배우자이든, 잔뜩 화를 내고 있는 두 살 짜리 아이이든, 잔디

밭에서 벌거벗은 채로 춤추고 있는 십대이든 관계없이 사실입니다. 문제는 다른 사람의 행동으로 자존심이 상했다고 느끼고 그 행동을 더 이상 효과적으로 다룰 수 없을 때입니다.

이러한 태도의 문제를 극복한 가족들은 환자의 당혹스러운 행동에 비난하지 않고 환자를 도와주는데 책임있는 역할을 할 수 있다고 느낍니다. 그들은 시선을 바꾸어 태도 문제가 있는 사람은 구경꾼이었음을 깨닫게 된 것입니다. 이런 가족들은 이제는 종종 환자들이 정상적인 행동의 세계에 적응하기 위해서 싸우는 모습을 보면 당황스럽기보다는 슬픔을 느낀다고 합니다. 이들은 말하기를, 만일의 경우 가장 고통받는 사람이 환자가 아닌 다른 사람이라면 무언가가 잘못되어 있고 반드시 전문가의 도움을 구할 것을 기억하라고 합니다.

다음은 환자의 갑작스럽고 충동적인 행동에 대한 대처 방식들입니다.

1. 즉각 행동을 멈추게 하거나 변화시킵니다.
2. 환자에게 엄하고 때로는 화를 낼 수 있으나 욕은 하지 말아야 합니다.
3. 구경하는 사람들에게 예의를 갖추고 그들이 이해하고 견딜 수 있도록 해줍니다.
4. 필요하다면 사고와 관련된 다른 사람에게 사과하고 상황을 설명해 줍니다.
5. 가능하면 훼손에 대한 금액을 지불하고 엉망이 된 것을 정리하고 설명해줍니다.
6. 유머감각을 갖습니다.
7. 이 사건에 관심을 갖고 해석할 수 있는 사람과 같이 이야기합니다.

3) 실종 시에는 어떻게 대처해야 하나?

실종은 가족들에게 어려운 문제가 될 수 있습니다. 종종, 정신분열병 환자는 새로운 곳이 병으로 인해 생기는 문제의 해답을 줄 것이라고 결정하거나 떠나라는 환청으로 지시를 받기도 합니다. 그들은 이처럼 단순한 이유로 집을 떠날 수 있습니다. 환자가 미성년이면 반드시 경찰에 실종신고를 해야 합니다. 환자가 법적인 권리가 있는 연령이면 경찰은 환자를 가족들에게 돌려보내거나 어디에 있는지를 가족에게 알려 줄 수 없는 경우도 있을 수 있습니다.

환자는 치료가 마무리되기 전에 병원을 탈출할 수도 있습니다. 환자가 강제적으로 입원한 경우에는 병원이 경찰에 신고하여 환자를 찾아 병원에 데리고 와야 하는 책임이 있습니다. 사법권에 의하면 경찰이 정해진 시간 동안 환자를 찾지 못하면 병원은 환자를 퇴원시킬 수 있는 권리가 있습니다.

자의로 입원한 경우에는 환자 스스로가 언제든지 퇴원을 요구할 수 있는 권리가 있습니다. 이때 주치의는 환자의 상태가 입원치료가 필요하다고 판단 시에는 환자의 상태를 자의입원에서 강제입원으로 변화시킬 수 있습니다. 이때에는 환자는 자의적 퇴원이 허용되지 않습니다. 환자가 탈출한 경우에도 이러한 판단권은 주치의에게 있는데 이때에도 경찰에게 환자를 찾기 위해 신고할 수 있습니다.

종종, 가족들은 환자가 나타나기만을 기다려야만 하는 경우가 있을 수 있습니다. 이런 경우는 환자가 부랑자로 발견이 되었거나, 행려자 합숙소에 보내어 졌거나, 병원으로 보내어진 경우입니다. 이럴 때에는 가족들이 환자가 집으로 돌아오거나 다른 선택을 할 수 있도록 계획을 세울 수 있습니다. 예를 들면, 환자가 한곳에 머물면서 치료를 받고 있고 잘 진행되고 있으면 가족들은 환자의 치료가 마무리될 때까지 환자를 떠나 있을 수 있습니다.

자세한 대처방법은 다음과 같습니다.

1. 환자가 관심이 있거나 언젠가는 찾아보고 싶어하는 장소를 이야기하면 메모해 두어야 합니다. 이것은 환자가 실종되었을 때 환자를 찾는데 단서가 될 수 있습니다.

2. 환자가 여행을 하기로 했다면 머무를 곳과 연락할 수 있는 방법을 생각해 두어야 합니다. 예를 들면, 환자에게 돈을 보내 줄 수 있는 방법을 마련하고 너무 많지 않은 돈을 보내 줄 수 있습니다. 이런 방식으로 환자와 효과적으로 접촉을 계속할 수 있는 것입니다.

3. 일정 기간동안 환자와의 접촉이 끊어지면 너무 오랫동안 기다리는 것은 현명하지 않습니다. 경찰이 적극적으로 참여할 수 없어도 실종신고를 하고 환자에 대해 이야기하는 것은 중요합니다. 이들은 확인을 해보거나 실제적 도움을 줄 수 있을 것입니다.

4. 환자가 갈 수 있는 장소에 대한 정보가 있다면 지역 경찰과 관공서에 연락을 취합니다.

5. 자원봉사기관에 연락을 취합니다. 때로는 환자가 부랑자 시설에서 나타나기도 합니다. 또한 환자가 종교에 몰두해 있다면 교회가 도움을 줄 수도 있습니다.

6. 사립탐정(흥신소)을 고용하기로 했다면 경찰과 긴밀한 관계가 있는지를 확인해 보아야 합니다. (이들은 가족들이 할 수 없는 것을 경찰로부터 정보를 얻어 도움을 줄 수 있습니다) 그가 가족을 대신해서 환자를 찾을 책임에 부합하는 합리적 비용과 가격을 논의해야 합니다.

4) 자살 위험에는 어떻게 대처해야 하나?

정신분열병 환자는 자살가능성이 항상 존재합니다. 이 병에는 우울감, 망상, 자살을 지시하는 환청이 있을 수 있습니다. 또한 충동적으로 행동할 수 있는 경향이 있는데 약 10%의 환자가 자살을 한다고 합니다. 일반인구에서와 마찬가지로 자살 성공률은 남자에서 높고 자살 시도율은 여자에서 높습니다. 자살은 초기 5년 동안이 가장 흔하고 그 이후에는 상당히 감소합니다.

자살위험이 높은 고 위험군은 다음과 같습니다.

· 질병의 악화와 완화를 반복하는 경우
· 병에 대한 인식이 생겨 비관하게 되는 경우

· 약물에 치료반응이 적어 증상의 지배를 받게 되는 경우
· 사회적으로 고립되어 있는 경우
· 미래에 대한 희망이 없는 경우
· 과거의 성취정도와 현재 상태의 심각한 차이가 있는 경우

때로 자살은 계획적이고 신중히 실행되기도 합니다. 다른 경우에는 사고로 발생할 수도 있는데 즉, 정신병적 상태의 망상과 환청에 의해 발생할 수도 있습니다. 가족들은 두 가지 경우 모두에 주의를 기울여야 하고 자살가능성을 완전히 막을 수는 없어도 예방책을 사용할 수 있습니다.
다음은 환자들이 자살을 생각하고 있다는 것을 암시해주는 행동들입니다.

· 자살에 대해 이야기합니다 : '죽으면 어떻게 될까, 어떻게 죽을 수 있을까, 내가 죽을 때는...' 과 같은 말
· 환자가 유언장을 쓰거나 유산을 분배하는데 관심을 갖습니다.
· 환자가 소중히 간직해온 재산을 나누어주기 시작합니다.
· 무가치함을 표현합니다. : '나는 누구에게도 좋은 사람이 아냐.'
· 미래에 대한 희망이 없음을 표현합니다.: '무슨 소용이 있어?'
· 위험한 무엇인가를 지시하는 소리를 듣고 있거나 무언가를 보는 징후를 보입니다.

자살과 자해에 대한 토론은 심각하게 다루어져야만 합니다. 자살을 이야기하는 환자는 거의 자살을 하지 않는다는 것은 사실과 다릅니다. 환자가 자살에 대해 이야기하거나 아무리 가벼운 것일지라고 신체에 상처를 내는 행동을 하면 즉시 치료자와 연락을 취하는 것이 절대로 필요한 일입니다. 이것이 안되면 환자를 이전에 입원한 병원이나 가장 가까운 응급실로 데리고 가야 합니다.
자살을 시도하면 가족들은 환자를 발견할 수 있는 유일한 사람입니다. 이때의 대처방법은 다음과 같습니다.

1. 즉시 119에 전화합니다. (불가능하면 가장 가까운 병원의 응급실에 전화합니다)

2. 필요한 경우라면 응급 심폐소생술을 시행합니다.

3. 병원에서 대기 중이거나 집에 있거나에 관계없이 누군가에게 전화를 걸어 같이 있도록 합니다. 자살시도 후에도 병원에서 입원허락이 안될 수도 있는 가능성에 대비해 두어야 합니다.

4. 지지단체와 연락을 취하고 발생한 사건을 이야기합니다.

5. 혼자서 위험한 상황을 다루려고 하지 말아야 합니다.

6. 슬픔과 애도를 이야기하는 지지단체와는 성급하게 접촉하지 않습니다.

종종, 환자가 자살시도를 한 후에 가족들은 지지자모임에 참석하는 것을 중단합니다. 이런 가족들은 자신이 참석하면 다른 구성원들을 너무 우울하게 할 것이라고 믿을 수 있습니다. 지지자 모임의 가족들은 이 가족이 모임에 참석하도록 해주어야 합니다.

한 아버지는 다음과 같이 이야기 했습니다. "정신분열병에 걸리면 지지자 모임이 가족이 됩니다. 왜냐하면, 가족과 친구를 잃어버리게 되기 때문입니다." 가족을 잃었을 때에는 전보다 훨씬 새로운 가족을 필요로 하게 됩니다.

5) 법적인 문제는 어떻게 처리해야 하나?

불행하게도 정신분열병 환자들은 법적인 문제를 일으키기도 합니다. 좀도둑질, 가해, 폭행, 음식값을 지불하지 않는 것에서부터 중대 폭력, 방화, 살인 등 위험한 문제까지도 발생할 수 있습니다. 환자가 고발을 당하면 정신분열병 문제를 잘 알고 있는 변호사와 접촉하도록 노력합니다. 가족들은 변호사에게 정신분열병에 대한 지식과 사건이 환자에게 의미하는 것을 질문함으로써 선임여부를 판단할 수 있습니다. 일부 변호사들은 정신질환을 가진 사람을 변호해 본 경험이 있어 정신분열병에 대한 지식을 어느 정도는 가지고 있습니다. 또한 대부분의 변호사들은 이들이 법적인 보호를 받아야 한다는 것을 인정합니다.

가족들은 정신분열병 환자가 법적으로 고소되면 병으로 인한 무죄의 탄원 하에 법적 보호를 받을 수 있다고 생각합니다. 여기에는 환자가 행동의 내용과 질을 인식

할 수 없거나 행동이 잘못된 것이라는 것을 알 수 없는 마음의 병을 가지고 있다고 평가가 되어야 합니다. 평가는 어느 정도 책임이 있는지를 밝히도록 법적으로 고안된 것이지 정신질환이 어느 정도인지를 평가하는 것은 아닙니다. 탄원이 받아들여지면 환자는 상태에 따라서 정신치료기관에 수용되거나 석방됩니다. 변호사들은 범죄가 미약한 경우에는 탄원에 반하여 상담할 수도 있는데, 왜냐하면 질병에 의한 무죄는 일생동안의 판결일 가능성이 있기 때문입니다.

때로는 변호사와 검찰이 사건의 판단에 동일한 견해를 갖고 재판부에 고소당시의 상황과 질병에 대해 설명할 수도 있습니다. 그러면 재판관은 집행유예 판결을 내리고 환자에게 치료 받을 것과 약물복용을 할 것을 요구할 수 있습니다.

상황이 심각한 경우 오랜 기간 동안 치료감호소에 수용되어야 할 경우도 있습니다. 이것은 과거의 행동장애가 극심하고 앞으로의 행동을 예측할 수 없을 때 공공의 상황을 보호하기 위한 것입니다.

6) 돈 문제를 어떻게 할 것인가?

많은 정신분열병 환자는 돈 문제를 다루는데 어려움을 가지고 있습니다. 이런 문제는 가족들을 난처하게 만들 수 있고 어떤 경우는 즉각적인 해결이 어려운 경우도 있습니다.

정신분열병 환자는 심각한 경우 장애자로 등록되어 국가의 복지혜택을 받을 수 있습니다. 장애자로 등록되기 위해서는 최소 1년 이상 끊기지 않고 연속적으로 정신과 진료를 받아야 합니다. 1년 이상 치료 후 거주지의 동사무소에서 장애자 관련 서식을 받아 병원에 오면, 담당의사가 서류를 작성하여 줍니다.

환자가 자신이 관리할 수 있는 돈을 매달 일정액 받을 수 있는 경우에는 집세, 식대, 교통비 등의 생활비를 효과적으로 다루는 것을 배워야 합니다. 이를 위해서는 가족의 도움이 필요하며 한 달 지출비용이 초과되지 않도록 하는 것도 배울 필요가 있습니다. 대부분의 환자가 독립생활 초기에 이러한 문제로 어려움을 겪습니다. 많은 경우에 환자들은 큰 액수의 돈을 충동적으로 지출하여 바보같이 보이거나 친구나 심지어 낯선 사람에게 돈을 줘 버리기도 한 후 기본적인 생활을 위해 가족들에게 돈을 요구하기도 합니다. 이런 종류의 행동은 비록 적은 액수일지라도 가족들을 당혹스럽게 하고 가족들에게 인내를 요구하는 행동입니다.

환자가 돈을 잘 관리한다는 것은 독립적인 생활을 성취하는데 중요한 것입니다. 정신분열병 환자에게 가족들이 정기적으로 돈을 주어야 하는 경우에 대해 한가지 방법이 있습니다. 그것은 관리와 독립을 의미하는 다른 행동을 관련시켜 설명하는 것입니다. 즉 일을 잘 하는 것은 이들이 경제적 권리를 가질 수 있는 상태가 되었다는 것을 설명하는 것입니다. 이러한 접근법은 환자가 돈 문제를 다루는 법을 배우게 하는 자극제가 되고 또한 가족들에게는 더 이상 필요하지 않은데도 적은 액수씩 환자에게 돈을 주는 습관에서 벗어날 수 있는 길입니다.

20. 정신분열병환자의 가족은 어떤 경험을 할까요?

　가족이 정신분열병 환자라고 진단을 받는 순간, 환자의 가족들은 온갖 다양한 감정을 느끼게 되고, 장기간에 걸친 환자의 투병생활이 시작하게 됩니다. 먼저 가족들이 보이는 반응들에는 어떠한 것이 있나 알아봅시다.

1) 정신분열병에 대한 가족의 부정적 반응 및 고통

· 질병의 완전한 부정 : '이 일이 내 가족에게 일어날 순 없어'
· 질병의 심각함을 부정하기 : '단지 일시적일 뿐이야, 곧 완전히 회복할 거야.'
· 앞날에 대한 두려움을 더 이상 드러내 말하고 싶어하지 않고, 무작정 숨기고 싶어함
· 수치심과 죄의식 : '우리가 무엇을 잘못해서 이렇게 된 거지?'
· 고립감 : '내가 지금 겪고 있는 고통은 아무도 몰라.'
· 비통함과 불만 : '세상은 공평하지 않아, 왜 우리 가족이 이래야만 하지?'
· 비난 : '당신이 아이들을 집에 있으면서 좀 더 잘 돌봤어야지.'
· 현실에서의 도피 : '우리가 도시를 떠나서 좀 더 공기라도 좋은 시골로 이사간다면 어떨까?'
· 불필요하게 병이 발병한 원인을 찾으려고 몸부림치기 : '우리가 그 아이를 너무 가혹하게 벌주어서 그런가봐.'
· 질병 이외의 어떠한 것을 생각하거나 말할 마음의 여유를 잃어 버림.
· 결과적으로 이혼에 이르게 되는 결혼생활의 불화
· 환자에 대해 갖게 되는 극도의 이중적인 감정 : '한편으로는 불쌍하고 안되었지만, 한편으로는 나에게 이런 고통을 가져다 주다니 정말 밉다.'
· 병이 있는 형제와 함께 있거나 이야기하기를 꺼리게 됨
· 술이나 진정제의 사용으로 고통을 잊으려 함
· 우울증, 불면증, 체중 감소, 과도한 불안감

　그렇다면 이런 가족의 부정적인 반응들이 병적인 것일까요? 결코 그렇지 않습니다. 누구라도 이러한 상황에서는 이와 같은 반응들을 보일 수 있습니다. 예를 들어 환자를 돌보다가 생활이 어려워지고 병원비와 같은 경제적 손실이 너무 크고, 아무도 이해해 줄 수 없을 것 같고, 악화와 재발을 반복한다면, 누구나 될 대로 되라는 식의 자포자기를 해버리거나, 환자에게 분노를 드러내고 싶은 충동을 느낄 수 있을 것입니다. 이는 지극히 자연스러운 감정입니다. 하지만, 화를 내고 절망한다고 해서 현재의 상황이 바뀌지는 않습니다. 이러한 감정을 느낀다고 내가 왜 이럴까 하면서 스스로를 자책해서는 안되고 극복을 해야겠습니다.

이런 태도는 독될것이 없습니다.

21. 정신분열병 환자의 가족이 가져야 할 태도는 어떤 것일까요?

1) 죄책감이나 수치심을 버려야 한다.

의외로 많은 가족들은 자신들이 잘못해서 환자가 병에 걸렸다는식의 죄책감과 수치심을 가지고 있습니다. 환자가 병에 걸린 이유는 부모가 잘못 키웠거나 스트레스를 주었기 때문이라고 많은 가족들이 생각합니다. 그러나, 정신분열병은 당뇨병이나 고혈압처럼 단지 하나의 병에 불과하지 가족의 태도 때문에 생기는 병은 아닙니다. 가족이 죄책감과 수치심을 가지고 있으면 환자와 가족 모두에게 나쁜 결과를 가져옵니다. 즉, 가족끼리 서로 병이 생기게 한 책임을 놓고 비난을 한다든가, 죄책감을 씻을 목적으로 환자만을 위하여 지나친 희생을 하거나 환자를 과잉보호하게 됩니다.

그러다가 재발이 반복되면 초기의 애정은 분노로 바뀌어서 환자에게 화를 내는 횟수가 많아지고, 오히려 매사의 잘못을 모두 환자에게 돌리게 됩니다. 환자는 환자 대로 가족들의 이러한 태도에 실망하다가 점차 분노하게 됩니다. 서로 비난하면서 환자는 환자의 존재 자체를 부끄럽게 여기는 가족을 보고, 자신의 처지에 대하여 스스로 절망하면서 세상에 혼자라는 외로움을 느끼게 됩니다.

2) 환자가 병을 앓고 있다는 사실을 받아들인다.

많은 가족들은 환자에게 병이 있다는 점을 안다고 말합니다만, 실제로 병을 앓고 있다는 사실을 쉽게 인정하려고는 하지 않습니다. 내 가족이나 내 아이의 문제로 막상 부딪히게 되면 환자를 환자로 받아들인다는 사실이 생각만큼 쉽지는 않습니다. 속으로는 여전히 과거에 집착하고 있는 것입니다. 그러나 현재의 상황에 절망하고 과거의 추억에 파묻힌다고 해서 좋아지는 것은 아무것도 없으므로 받아들일 것은 받아들이고 인정할 것은 인정해야 합니다.

환자와 가족 모두를 위해서 환자가 병을 앓고 있다는 사실을 받아들여야 합니다. 병을 받아들이라는 것이 환자의 회복을 포기하라는 말은 아닙니다. 가족들이 원하는 바가 아닌, 현재 있는 그대로의 환자 상태를 받아들이라는 말입니다.

3) 현실적인 기대를 갖는다.

앞에서 말한 것과 연결이 됩니다. 병을 앓고 있다는 사실을 받아들임으로써 자연
스럽게 현실적인 판단도 가능하게 되는 것입니다. 병에 걸리기 전에 환자에 대해서
가졌던 기대감을 순식간에 버린다는 것은 결코 쉬운 일은 아니며, 특히 환자가 촉망
되는 미래를 가졌었다면 더욱 어려울 것입니다. 하지만 현실적인 기대를 가져야만
문제해결이 시작되는 것입니다.

정신분열병은 꾸준한 치료를 통하여 서서히 호전되는 것이지 어느날 갑자기 획기
적으로 좋아져 이전의 원상태로 회복되는 것은 결코 아닙니다. 기대수준을 낮추어
야만 환자의 느리지만 분명한 회복을 발견하고 호전에 대한 기쁨을 경험할 수 있을
것입니다. 현실적인 기대를 가지라고 해서 환자의 능력을 완전히 무시해버리라는
이야기는 아닙니다. 단지 환자의 능력이 이전보다 떨어질 수 있다는 현실을 인정하
고 현재 상태에 맞는 능력수준을 기대해야 한다는 것입니다.

4) 긍정적인 마음과 낙관적인 태도를 가진다.

정신분열병은 환자와 가족들에게 크나큰 정신적 고통을 안겨주는 병이기 때문에
더더욱 긍정적인 마음과 낙관적인 태도가 필요합니다. 이러한 태도가 없으면 장기
간 지속되는 환자의 투병생활에서 오는 스트레스를 견디지 못하고 쉽사리 지쳐버리
게 됩니다.

또한 환자에 대해서도 마찬가지입니다. 많은 환자가 정신분열병을 앓으면서 매사
에 의욕을 잃고 귀찮아하며, 가족들이 보기에 꼭 필요한 일조차도 하지 않으려 하는
경우가 많습니다. 이 경우에 막연하지 않게 구체적으로 환자를 칭찬하고 긍정적으
로 이야기를 해 준다면 환자는 좀더 의욕이 솟고 기분도 좋아져서 더 높은 기능을 필
요로 하는 일에 도전할 수 있게 됩니다.

5) 병의 증상과 환자를 따로 떼어서 생각한다.

환자의 기괴하고 난폭한 행동에 대해 많은 가족들은 '어떻게 사람이 저렇게 행동할까' 라는 충격을 받기도 하고 환자에 대해 화가 날 때가 있다고 고백합니다. 그러나 가족이 기억해야 할 중요한 사실은 환자가 보였던 난폭한 행동이 그 환자의 본 마음이 아니라는 것입니다. 그러한 행동은 병의 증상이지, 환자가 원래 못된 인간성을 가지고 있거나 가족을 사랑하지 않아서, 또는 의도적으로 가족을 해치려고 한 것은 아닙니다. 약물치료로 나중에 증상이 호전된 후에는 많은 환자가 자신의 그런 행동들을 기억하며 그에 대한 죄책감을 가지고 고통에 빠지게 됩니다. 가족들로서는 환자가 병적인 상태에서 보인 이러한 행동에 대해 심한 충격을 받고 분노하기 보다는, 환자가 이러한 행동을 나타내지 않게 적절한 약물치료를 받도록 도와주는 노력이 필요합니다.

6) 환자를 소외시키지 말고 적절한 자극을 주어야 한다.

가족들은 자신들이 환자를 알게 모르게 소외시키고 있으면서도 이 사실을 잘 모르는 경우가 많습니다. 대부분의 환자는 집에서 미운 오리새끼 취급을 받습니다. 예를 들면 자신의 친구에게 가족 이야기를 할 때 환자에 대해서는 일체 말하지 않거나, 환자가 집에 있을 때는 다른 사람을 초대하지 않거나, 손님을 초대했더라도 환자에게 손님이 돌아갈 때까지 방에서 나오지 말라고 하는 것이나, 여러 가지 집안 행사에 대해서 환자에게는 알려 주지 않는 것 등입니다.

환자가 병을 앓고는 있지만 그는 여전히 가족의 일원이며, 설혹 그가 책임 있는 위치에서 어떤 일을 할 수 없을 지라도 그를 한 인격체로 존중해 주어야 합니다. 정신분열병 환자가 외부의 스트레스에 잘 견디지 못하는 것은 사실이지만, 그렇다고 환자를 소외시키고 사회생활에서 격리시킨다면 시간이 갈수록 점점 더 가족에게서 멀어지게 됩니다.

재활센터에 규칙적으로 나가는 것이 가장 권할만한 방법이지만, 나가기 힘든 경우라도 집안에서 환자가 할 수 있는 역할을 찾아서 참여를 시켜야 합니다. 환자가 참여할 경우에는 좋아하는 활동을 하도록 의욕을 주기 위해서 간단히 보상하는 것도 좋습니다.

7) 가족 내의 균형을 맞추어야 한다.

환자 때문에 가족들의 삶이 희생되어서는 안 됩니다. 이 말은 결코 환자를 헌신적으로 돌보지 말라는 의미가 아니라, 단지 환자를 돌보는 일과 가족들 자신의 삶 사이에서 어느 정도 균형을 맞추라는 것입니다. 환자의 질병 치료는 마라톤과도 같습니다. 꾸준하고 지속적인 관심과 격려가 필요합니다. 분담하여 환자를 돌보아 가면서 가족 구성원들 각자의 생활도 누려가야만 합니다. 환자 때문에 자신의 생활을 완전히 포기하면서 희생을 하는 것이 장기간 갈 수는 없으며, 결국 지쳐서 완전히 손을 놓아 버린다면 오히려 환자에게 더 안 좋은 결과를 가져올 수 있음을 알아야만 합니다.

또한, 자녀 중에 누군가가 정신분열병을 앓게 되면 그 부모는 처음에 당황하여 환자에게만 관심을 쏟게 됩니다. 그러면 환자의 형제 자매들도 소외를 당함으로써 부모 못지 않게 많은 고통과 충격을 받게 됩니다. 환자는 병으로 고생하는데 자기들은 정상적인 생활을 누리고 있다는 죄책감을 느낄 수도 있고, 자신도 이 병이 생기지나 않을까 하는 막연한 불안감도 갖게 됩니다. 그러므로 환자의 부모는 다른 자녀에게도 관심을 가지고 신경을 써야 합니다.

장기적인 관점에서 보면 환자의 형제 자매는 환자에게 대단히 중요합니다. 부모가 환자를 돌보는 시간은 한정되어 있으며, 부모가 죽은 다음에 환자를 돌보는 것은 결국 형제 자매의 책임이 되는 것이 대부분이기 때문입니다.

보호자가 먼저 환자의 든든한 보금자리가 되어야 합니다.

22. 환자와의 대화는 어떻게 하면 될까요?

1) 올바른 대화 방식을 배워야 하는 이유

정신분열병 환자들은 집중 곤란 및 망상과 환청 등의 양성증상에 의해 대화에 방해를 받습니다. 또한, 감정표현이 둔감해지고, 말수가 줄며, 주변에서 벌어지는 일에 대한 관심이 줄어드는 등의 음성증상 때문에 다른 사람의 생각을 정확하게 읽기 어려우므로 환자는 남들과 대화하기가 힘들어 집니다. 환자는 쉽게 기가 죽고 우울해 하며 금방 포기를 해버리므로, 주변에서 말을 붙이고 대화를 유지하기가 어렵습니다.

2) 대화가 효과적으로 잘 이루어진다면

재발의 위험성이 줄어들고 증상도 좋아지면서 가족 내 갈등도 줄어 들고, 스트레스의 발생도 최소화됩니다. 이는 환자 자신 및 가족 모두에게 신체적으로나 심리적으로 도움이 됩니다.

3) 올바른 대화방식

그렇다면 어떻게 대화를 하는 것이 실제로 도움이 되는 것인지를 알아보겠습니다.

● 간단 · 분명하고 짧게 말합니다.
환자들은 대화의 흐름을 따라가는 데 어려움이 있으니, 여러분들이 환자에게 빙빙 돌려서 말하거나 너무 어려운 표현을 사용하는 것은 불필요한 오해를 사게 될 뿐입니다. 이해를 못한 것 같으면 반복해서 말해 주세요.

● 감정을 분명하게 표현합니다.
정신분열병 환자들은 다른 사람의 감정을 알아채는 데 어려움이 있습니다. 말을 안 해도 환자가 자신의 마음을 알아줄 것이라고 기대하지 마십시오. 감정을 분명하게 말로 표현하는 것이 이해를 돕습니다. 차분하게 말로 감정을 표현하고, 내가 느끼는 감정은 '나'를 분명히 사용해서 이야기하십시오.

● 우호적인 태도로 대화를 시작하되 칭찬을 많이 합니다.

칭찬은 많으면 많을수록 좋습니다. 칭찬을 들을수록 환자는 자신감을 갖고 더 잘해내려 노력할 것입니다. 단, 구체적인 행동에 대해 칭찬해야만 환자도 칭찬 받는 이유를 스스로 이해하게 될 것이고, 쓸데 없이 칭찬의 효과를 떨어뜨리지 않을 수 있습니다.

● 주의를 기울여 듣고 이해가 안 가면 확실히 물어 봅니다.

환자의 말은 이해하기 어려운 경우가 많습니다. 감정 표현이 둔하고 언어 사용도 일반적인 흐름에서 약간 벗어나는 경우가 많기 때문에, 듣다가 주의를 다른 데로 돌린다든지 잘 이해가 안가는 부분을 아는 체하고 대충 넘어가기 쉽습니다만, 그러한 부분을 확실히 되물어서 오해의 소지를 없도록 하는 것이 좋습니다.

23. 정신분열병 환자와 어떤 규칙을 갖는게 좋을까요?

1) 가족규칙의 필요성

가족 내에 일정한 규칙을 세움으로써 각 가족 구성원들은 자신의 권리를 침해당하지 않고 집안일에 기여를 할 수 있습니다. 이를 통해 각자가 긍정적이고 편한 분위기에서 생활하는 데 도움을 줄 수 있습니다. 따라서, 구체적인 가족의 규칙을 정하면 환자가 따르기에도 쉽고, 좀더 협조적인 가족 분위기를 만드는데도 도움이 됩니다.

규칙을 어떻게 만들어야 하는지 좀 더 구체적으로 알아 보겠습니다. 우선 어떤 규칙들이 같이 살아가는 데 편할 것인가를 결정해야 합니다. 규칙을 결정하는 과정에는 환자를 포함한 가족 모두가 참여해 함께 의논을 해서 만들어야 합니다. 다음으로는 규칙을 왜 명확하게 정해야 하는지에 대한 이해가 필요합니다.

정신분열병 환자는 사회성이 부족한 탓에 주위의 환경에서 고립되므로 다른 사람들이 원하고 필요로 하는 것을 잘 판단하지 못합니다. 따라서, 규칙을 뚜렷하게 정함으로써 가족들이 환자에게서 무엇을 기대하는지를 알려주고, 환자가 해서 안되는 것을 분명히 알려줌으로써 환자의 부족한 판단력을 보충해 줄 수 있습니다. 또 환자가 다른 가족을 배려하지 않고 의외의 기괴한 행동을 하는 것도 줄이고, 가족 전체의 분위기를 좀더 평화스럽게 만들고, 스트레스를 덜 받고 생활할 수 있게 합니다. 현실적으로 해낼 수 있는 규칙을 정해서 환자가 잘 지킬 수 있도록 하고, '잔소리'를 듣지 않고 나름대로 집안일에 기여한 점에 대해서 성취감과 자부심을 가지도록 도울 수 있습니다.

2) 규칙을 만드는 데 있어서의 고려 사항

좋은 규칙을 만들기 위해서는 좋은 규칙의 특징을 알아야 합니다.

● **좋은 규칙은 구체적이다.**
환자의 막연한 '태도'가 아니라 구체적인 '행동'을 정해주는 것이 좋습니다.

환자가 할 일과 하지 말아야 할 일을 분명히 해주기 때문에 환자가 따르기도 수월하고 다른 가족들이 평가하기에도 더 쉬워집니다.

● 좋은 규칙은 현실적이다.
현실적인 판단을 해서 환자가 현실적으로 지킬 수 있는 규칙이어야 의미가 있습니다.

● 좋은 규칙은 합리적이다.
왜 이 규칙이 정해졌는지를 합리적으로 설명해 준다면 환자가 규칙을 이해하고 따를 가능성이 더 커집니다.

3) 규칙을 만드는 방법

규칙이 필요로 하는 특징을 이해하였다면, 구체적으로 어떻게 규칙을 만들 것인지에 대하여 설명하겠습니다.

● 모든 가족이 참여합니다.
가급적 집안의 분위기가 좋은 상태에서 환자까지 포함하여 가족회의를 여는 것이 불필요한 말싸움이나 신경전을 줄이는데 도움이 됩니다.

● 현재 가족이 부딪히고 있는 문제를 중요도에 따라 나열한 뒤 규칙을 정하고 서로 간의 동의를 구합니다.
일반적으로 규칙은 꼭 필요한 기본적 규칙과 각 가족 별로 필요로 하는 부가적 규칙으로 나눌 수 있는데, 규칙의 수가 처음부터 지나치게 많지 않도록 하는 것이 좋습니다. 기본적인 규칙에는 '신체적으로 난폭한 행동을 해서는 안 된다.', '남들 앞에서 벌거벗고 돌아다니는 등의 부적절한 행동을 해서는 안 된다.', '규칙적으로 세수, 양치질 등의 위생관리를 해야 된다.' 등이 있습니다.

● 벌칙을 정합니다.

중요한 규칙일수록 좀더 무거운 벌칙을 주고 반드시 지킬 수 있는 벌칙을 정하도록 합니다. 가장 자연스러운 벌칙은 혜택을 줄이는 것부터 시작합니다. 환자에게 부정적인 말을 해서 환자의 기분을 상하게 만들면 환자가 마음에 깊이 품거나 더 난폭해질 수도 있다고 생각하여, 많은 가족들이 가능한 한 환자의 행동에 대하여 아무런 말도 하지 않고 상황이 악화될 때까지 아슬아슬하게 살아가는데, 이러한 태도는 아주 잘못된 것입니다. 평소에 감정을 꾹 참고 있다가 어느날 한꺼번에 감정을 폭발시킬 경우에는 환자에 대해서 여태까지 억눌러온 감정이 마구 뒤섞여 나오기 때문에 환자도 혼란스럽고 환자와 가족간 관계도 오히려 악화됩니다.

환자에게 지적을 할 때는 어떤 행동이 잘못되었는지를 그때그때 구체적으로 말해 주고 다른 대안을 제시하도록 주의해야 합니다.

24. 위기상황에서는 어떻게 대처하는 게 좋을까요?

아무리 최선의 노력을 하더라도 장기간에 걸친 치료와 회복과정에서 발생하는 위기상황을 사전에 완전히 방지할 수는 없습니다. 여기에서는 위기상황에 대처하는 방법을 설명드리겠습니다.

● **필요할 때 사용할 수 있는 연락처를 미리 준비합니다.**
치료진, 가장 가까운 응급실, 경찰서, 소방서 및 기타 도움이 될 수 있는 곳의 전화번호를 바로 찾을 수 있도록 준비해 놓는 것이 좋습니다.

● **침착하게 행동해야 합니다.**
응급상황에서 가족이 불안하고 놀라고 긴장되는 것은 자연스러운 반응입니다. 하지만, 불안해진 가족이 환자에게 격렬하게 반응하고 흥분한 모습을 보인다면 상황이 오히려 더 악화될 수 있으니 침착하게 행동하십시오.

● **위급한 정도를 판단해야 합니다.**
집에서 가족이 당황해하는 상황이 모두 다 응급상황은 아닙니다. 예를 들어 환자가 세수를 하려 하지 않는다면, 당황스러울 수는 있겠지만 응급상황까지는 아닙니다. 응급이란 사람이 다치거나, 재산상의 손실이 생길 우려가 있거나, 긴급한 위험이 있을 때를 말합니다. 이때 가족의 목표는 자신과 다른 사람의 안전을 유지하면서 가능한 한 빨리 도움을 구하는 것입니다. 이 판단에 따라서 얼마나 신속하게 대응해야 하는지를 결정할 수 있습니다. 환자가 지금 자살하라는 환청을 듣고 그에 따라서 자해행동을 하려 한다면 즉시 정신과 의사와 연락을 취해야겠지만, 단순히 환청이 많아서 힘들다는 정도라면 외래로 와서 이야기를 하여도 될 것입니다.

● **위기 상황에서는 다른 사람의 도움을 구해야 합니다.**
위기 상황에서 가족 혼자 침착하게 말하면서 체계적으로 대응하는 것은 어려우므로, 가능하면 환자를 돌보는 주보호자 이외의 다른 가족이나 치료진에게도 연락하여 도움을 받아야 합니다. 그래야만 좀더 차분하고 효과적으로 대응할 수 있습니다. 문제를 혼자서 다 해결하려고 하지 마십시오.

● 안전이 최우선입니다.
대부분의 정신분열병 환자는 공격적이거나 폭력적이지 않습니다. 그러나 환자가 분노를 드러내고 있을 때 자극하면 자칫 불필요한 물리적 충돌을 불러올 수도 있습니다. 중요한 점은 폭력적인 위협을 하는 환자 자신도 무척 두려워하고 있다는 사실입니다. 환자는 자신이 구석에 몰려 있고 스스로를 방어해야 한다고 생각할 때 폭력을 사용하게 되므로 분노와 과대망상이 있는 환자를 구석으로 몰도록 해서는 안됩니다. 여러분이 환자와 방 안에 같이 있다면 환자를 구석으로 몰지 말고 나갈 수 있는 여유공간을 터 주어야 합니다. 마찬가지로 가족도 그 방에서 안전하게 나가서 도움을 구할 수 있는 위치에 있어야 합니다.
갑작스럽게 환자에게 달려드는 것은 금물이며 환자와는 적어도 1미터 정도의 거리를 유지하는 것이 필요합니다. 환자의 눈을 똑바로 쳐다 보거나 정면으로 다가가 보는 것은 환자가 스스로에게 위협을 가하는 것으로 받아 들여서 공격을 할 수도 있으니 위험합니다. 손을 자유롭게 쓸 수 있고 정면이 아니라 몸을 비스듬히 해서 양 발에 균형을 둔 자세를 취한다면 우발적인 상황에서 좀더 빠르고 안전하게 대응할 수 있습니다.

25. 가족은 어떻게 피로를 이겨낼 수 있을까요?

  가족들은 항상 긴장 속에서 살얼음판 위를 걷는 것 같은 아슬아슬함 속에서 생활을 하는 경우가 많고, 환자의 회복기간이 일정하게 정해져 있는 것도 아닌 탓에 얼마 지나지 않아 극심한 피로감을 느끼고 지치게 됩니다. 이러한 피로감을 이겨낼 수 있는 방법을 다루어 보도록 하겠습니다.

· 늘 자신의 건강에 대해 신경을 쓰십시오. 영양을 고려한 식사를 하고, 규칙적인 운동이나 산보를 하면서 충분한 수면을 취하고 정기건강검진을 받습니다. 담당 의사에게는 자신이 정신분열병 환자의 보호자임을 알리는 것이 좋습니다.
· 긴장감 해소를 위한 이완기법들에 대해서도 알아 두십시오.
· 매일 자신을 위한 휴식시간을 별도로 잡아 둡니다.
· 할 수 있다면, 정기적으로 휴식을 취합니다. 가끔씩 자신을 위해 하루 정도를 사용합니다.
· 자기를 비난하거나 자책하지 않도록 주의합니다.
· 자기개발을 위해 공부하거나 강좌를 듣는 것과 같이 무엇인가 다른 것에 집중할 수 있는 시간을 만드는 것도 좋습니다.
· 환자 이외의 다른 가족들과의 관계에도 소홀하지 않도록 신경을 쓰십시오.
· 도움을 줄 수 있는 다른 사람들과 자신의 슬픔과 힘든 문제들을 공유하도록 합니다.
· 환자를 돌볼 때 다른 가족들, 치료진과 서로 협력하고 의사소통이 잘 되어야 합니다.
· 일상생활에서 가능한한 환자에 의한 희생을 최소화하고, 가급적 이전과 다름없이 유지해 나가야 합니다.
· 종교적 신념을 가져 보십시오.
· 유머 감각을 잃지 않도록 합니다.
· 절대 희망을 버리지 마세요.

환자의 평안 만흠이나
가족의 평안도 중요합니다.

26. 치료자와의 협력 : 치료팀의 일원으로서의 가족

가족이 치료자와 좋으면서도 긴밀한 관계를 유지할수록 더 효율적으로 치료할 수 있습니다. 오늘날에는 정신분열병 환자의 치료에 있어서 단지 한 사람이 환자를 모든 것을 떠맡는 것이 아니라, 각자가 서로 잘 해낼 수 있는 분야를 나누어서 팀을 이루어 접근하는 치료 방법이 중요합니다. 그 중에서도 가족은 환자와 가장 많은 시간을 같이 보내면서 가까이서 생활을 하고 있기 때문에 객관적이기 어렵다는 단점은 있지만, 환자의 생활방식을 가장 잘 알 수 있으므로 엄연히 치료팀의 한 구성원이 되며 그 역할이 강조되고 있습니다.

좀 더 효율적인 치료팀을 이루기 위해서는 치료자를 무턱대고 만나기보다는 사전에 무엇에 대하여 의논할 것인지를 구체적으로 생각하고 모임을 갖는 것이 좋으며, 가급적 환자에 관한 많은 정보를 줄수록 도움이 됩니다. 입원치료의 경우, 치료자가 환자가 입원한 상황에서는 알기 힘든 입원 이전의 환자의 생활방식에 대한 설명이나, 환자가 병세가 호전되었을 때와 악화되었을 때 보이는 행동의 차이점과 같은 것들은 치료자 입장에서는 환자를 이해하는 데 아주 유용한 자료들입니다. 물론 궁금한 점이 있다면 구체적으로 질문을 해 알아 두어야 치료팀 내부에서 손발이 안 맞고 겉도는 일을 피할 수 있습니다.

아무리 현대의학이 발전하고 치료자가 필사적인 노력을 기울인다고 하더라도 가족이 보기에 병세의 호전이 만족스럽지 않을 수 있는 한계가 있다는 점을 이해해 두어야 합니다. 결국 가족과 치료자는 서로 환자의 질병 호전과 기능 향상이라는 같은 목표를 가지고 한 배를 탄 사이인 만큼 서로가 믿는 신뢰관계가 절대적으로 중요한 것입니다.

정신분열병은 장기간의 치료가 필요한 병입니다. 환자들은 병원에서는 짧은 기간 동안만 입원할 뿐 결국 가족에게 돌아가서 생활을 하게 되므로, 가족구성원들이 환자와 대부분의 시간을 보내게 됩니다. 따라서, 치료팀의 일원으로서 협조체계를 잘 이루기 위해서는 가족들이 환자의 병에 대하여 교육을 받는 것이 반드시 필요합니다. 환자의 병에 대해 가족이 교육을 받는 것은 권리이자 동시에 의무로서, 환자와 가족 모두에게 많은 도움을 줍니다.

교육을 통하여 앞서 이야기가 되었던 재발경고 징후들을 초기에 파악할 수 있게 되면 대부분의 재발을 막을 수 있고, 또 환자가 약물치료와 재활치료를 받는 이유를 이해할 수 있기 때문에 환자가 치료받도록 더 잘 격려하고 도울 수 있습니다.

정신분열병 바로알기

A Comprehensive Guide to Understanding schizophrenia

부록 1. 흔한 질문들

1) 정신분열병은 유전되는 병인가요?

직접 유전되는 병은 아닙니다. 그러나 질병의 소질이 다소 유전되는 것으로 보입니다. 예를 들어 아버지가 이 병을 앓는다고 자녀가 반드시 이 병에 걸리는 것은 아닙니다. 부모가 당뇨병이나 고혈압이 있을 경우 자녀가 당뇨병이나 고혈압에 걸릴 가능성이 조금 높아지는 것 같이 약간의 소질을 타고난다고 생각하면 됩니다. 그러나 이런 소질만으로 병이 발생하는 것은 아니기 때문에 유전에 대해서 너무 걱정할 필요는 없습니다. 정신분열병 환자가 자녀를 낳을 경우 그 자녀가 또 이 병에 걸리는 경우는 10명 중 한명도 되지 않습니다. 그러므로 일반인에 비해 발생 비율이 다소 높은 정도라고 생각하면 됩니다. 따라서 부모 세대에 정신분열병이 있었다고 해서 자녀의 질병 발생에 대해 지나치게 걱정할 필요가 없습니다. 이런 불안감은 치료에도 아무런 도움이 되지 않습니다. 다른 신체적인 질병의 발생과 같다고 생각하면 됩니다.

2) 심한 스트레스 때문에 병이 생긴 것은 아닌지요?

학교에서 놀림을 받았다거나 군대에서 기합을 받아서 정신분열병이 생겼다는 등의 이야기를 가끔 듣습니다. 그러나 의학적인 측면에서 볼 때 이것은 사실이 아닙니다. 극심한 스트레스를 받을 경우 일시적으로 정신병적인 증상을 보일 수는 있지만 이 경우 정신분열병으로 진단하지는 않습니다. 물론 스트레스로 인해 직접 정신분열병이 발생하지는 않지만 스트레스가 병의 경과와 예후에 영향을 미치는 것은 사실입니다. 대부분의 환자들은 스트레스에 취약한 상태이기 때문에 스트레스를 잘 관리하도록 도와주는 것이 무엇보다도 중요합니다. 환자에 대한 지나친 간섭, 가족들의 지나친 비난이나 기대, 과보호로 인해 환자 스스로 뭔가를 할 수 없다는 생각이 들게 만드는 것도 큰 스트레스로 작용합니다. 환자의 모든 행동을 병적으로 생각하고 감시하는 행동도 좋지 않은 영향을 미칩니다. 회복된 환자들은 가족들의 지나친 관심과 감시 때문에 힘들다고 호소하는 경우가 많습니다. 재미있어서 웃기만 해도 이상하게 생각하고, 고민이 있어 잠시 침울해 있기만 해도 환자 취급을 한다고 호소합니다. 물론 환자의 증상이 악화된 것은 아닌지 가족들이 관심을 갖는 것은 중요하지만 지나친 관심이나 간섭은 오히려 좋지 않다는 사실도 가족들이 알아야 합니다.

3) 몇 개월간 집중적으로 치료하면 효과가 좋거나 완치가 되지는 않나요?

정신분열병의 치료는 마라톤과 같은 것입니다. 처음 발병을 한 경우 가족들은 환자의 치료에 온 정성을 들입니다. 물론 가족들의 이런 태도와 협조는 환자의 회복에 큰 힘이 됩니다. 그러나 가족과 집안의 모든 에너지를 환자에게만 쏟는 것은 결코 바람직한 것만은 아닙니다. 단기간에 지나치게 에너지를 쓰게 되면 가족들이 먼저 지치게 됩니다. 이런 경우 대부분 환자의 회복에 대해 많은 기대를 하게 되는데 호전 정도가 기대에 미치지 못할 경우 치료에 대한 실망으로 여러 병원을 전전하는 경우도 흔합니다. 제대로 된 평가와 치료를 받아야 하는 것은 당연한 일입니다. 그러나 모든 것을 투자한다고 단기간에 병이 낫는 것은 아닙니다. 오히려 환자에게는 급성

기가 지나고 재발을 막기 위해 꾸준한 관리가 필요할 때 가족들의 도움이 절실합니다. 가족들이 환자를 돕기 위해 노력은 하되 모든 가족들이 이로 인해 일상생활에 지장을 받는 것은 서로를 위해 도움이 되지 않습니다. 가능하면 가족들은 자신의 일상생활에 큰 지장을 받지 않는 범위 내에서 꾸준히 환자를 돕는 것이 좋습니다.

4) 약물 때문에 머리가 둔해지지는 않나요?

약을 먹으면 머리가 나빠진다거나 심지어는 바보가 된다는 이야기를 하는 사람들이 있습니다. 그러나 절대 그런 일은 없습니다. 과거의 항정신병약물이 때로는 너무 졸리거나 몸이 둔해지는 등의 부작용이 많아서 나온 이야기로 보입니다. 그러나 현재 사용되고 있는 대부분의 약물들은 이런 부작용들이 개선되었고 오히려 환자들의 집중력과 인지기능을 호전시켜 주는 것으로 알려져 있습니다. 습관성이나 중독성이 없고 안전합니다. 또한 급성기가 지나면 용량을 조절해서 소량을 사용하기 때문에 전혀 일상생활에 지장이 없는 경우가 대부분입니다. 정신분열병 자체는 병이 진행될 경우 인지기능과 판단력 등이 떨어지기 때문에 약물치료를 통해 이를 예방하는 것이 무엇보다도 중요합니다.

5) 약은 언제까지 유지해야 되나요?

사람에 따라 질병의 양상과 경과 등이 모두 다르기 때문에 한마디로 이야기 하기는 어렵습니다. 대개 급성기가 지나고 나면 약의 용량을 줄여서 유지하게 되는데 처음 발병한 경우, 증상이 완전히 호전된 후에도 최소 1-2년 이상 유지하는 것이 좋습니다. 필요에 따라서는 더 장기간 유지하는 경우도 있습니다. 예를 들어 가족력이 있거나 증상이 심했던 경우 등은 좀 더 장기적인 예방이 필요합니다. 재발한 경우는 예방 기간이 좀 더 길어지며 치료에도 불구하고 증상이 남아있는 경우나 지속적으로 재발하는 경우는 호전 후에도 평생 예방이 필요한 경우도 있습니다. 그러나 약을 먹는 동안 다른 활동을 하지 않아야 되는 것이 아니기 때문에 예방을 하면서 얼마든지 사회활동을 할 수 있습니다.

6) 좋아지면 약을 끊고 나빠지면 다시 약을 먹으면 되지 않나요?

바람직한 방법이 아닙니다. 초기 치료를 놓치고 너무 늦게 치료를 시작하거나 치료를 중단하여 재발을 한 경우에는 그만큼 치료 효과가 떨어지는 것은 당연합니다.

그래서 조기에 치료를 시작하여 약을 유지하는 것이 중요합니다. 여러차례 재발과 호전이 반복되면 치료 반응도 나빠지고 회복되어도 후유증이 많아 사회에 복귀할 가능성이 그만큼 줄게 됩니다. 따라서 약물을 중단하거나 감량할 경우 본인이나 가족의 판단에 따라 임의로 하지 말고 담당의사와 상의해야 합니다.

7) 환자가 약을 거부하는 경우 몰래 음료수 등에 타서 먹이는 것은 어떤가요?

많은 환자들이 스스로 병에 대한 인식이 없기 때문에 어쩔 수 없이 몰래 가족들이 음료수나 음식에 타서 먹이는 경우가 있습니다. 그러나 이러한 방법은 일시적으로 효과를 볼 수는 있지만 장기적인 측면에서 볼때 큰 도움이 되지 않습니다. 약물치료는 장기간 지속되어야 하기 때문에 몰래 먹이는 것은 결국 여러 가지 문제를 낳게 됩니다. 많은 환자들이 스스로는 약을 먹지 않고 좋아졌다고 생각해서 회복 후에도 약을 거부할 가능성이 많습니다. 또 음료수나 음식에 타는 경우 흡수량을 정확히 판단하기가 어렵습니다. 여행을 가거나 가족들이 먹일 수 없는 상황이 있을 수 있는데 이런 경우 재발 가능성이 높아집니다. 따라서 꾸준히 설득하고 환자가 약을 거부하는 이유를 찾는 것이 제일 중요합니다. 그래도 약을 거부하는 경우는 담당 의사와 상의해야 합니다. 최근에는 한번의 주사로 2-3주 이상 약효가 지속되는 약제도 사용되고 있고 물없이 복용할 수 있는 약제도 개발되고 있습니다.

8) 정신과 약물과 한약을 함께 먹으면 도움이 되지 않나요?

환자나 보호자들이 한약으로 정신분열병을 완치할 수 있지 않을까 기대하는 경우가 있습니다. 그래서 한약만 복용하거나 또는 병원 치료와 함께 한약을 복용하는 경우가 많습니다. 그러나 분명한 것은 아직 어떤 약으로도 정신분열병을 단기간에 완치 시킬 수 있는 약은 없습니다. 가능하면 이 병을 치료하기 위한 목적으로 한약을 단독으로 복용하는 것은 도움이 되지 않습니다. 그러나 다른 이유로 인해 꼭 복용을 해야 하는 경우는 약물의 상호작용으로 인해 부작용이 생길 수도 있으므로 복용 전에 반드시 담당의사와 상의하는 것이 좋습니다.

9) 약을 먹으면 성욕이 떨어지나요?

항정신병약물의 종류에 따라 성욕이 떨어지거나 발기가 잘 되지 않는 경우가 있습니다. 여성의 경우 생리가 불규칙해지거나 중단되는 경우도 있습니다. 환자나 보호자는 이런 문제를 심각하게 생각하지 않거나 창피해서 담당의사에게 말하지 않는 경우가 많습니다. 그러나 필요한 경우 다른 약물을 추가하거나 약물을 변경해서 이런 부작용을 줄일 수 있기 때문에 솔직하게 이야기 하고 도움을 받는 것이 좋습니다.

10) 약을 먹지 않고 상담이나 다른 방법으로 치료하는 것은 없나요?

정신분열병은 일종의 뇌기능장애로 약물치료가 가장 중요합니다. 그러나 약물치료만으로 모든 환자들이 다 원래 기능으로 회복되는 것은 아닙니다. 따라서 여러 가지 보조적인 치료들을 병행하는 것입니다. 그러나 약물 이외의 다른 치료법들은 반드시 보조적이라는 사실을 명심해야 합니다. 음악, 무용, 미술치료를 비롯해 싸이코드라마 등 많은 보조적인 치료법들이 시행되고 있는데 약물치료와 함께 필요에 따라 보조적으로 사용되어야 합니다.

11) 기도나 종교적 행위 등으로 치료할 수는 없나요?

신앙을 갖는 자체는 전혀 문제가 없습니다. 그러나 그것만으로 정신분열병이 치료되지는 않습니다. 최근에는 많이 사라지기는 했지만 아직도 귀신이나 사탄이 이병의 원인이라고 생각하는 일부 종교인들은 종교의 힘만으로 치료를 해야 한다고 주장하는 경우도 있어 문제가 됩니다. 급성기가 지난 후에는 원래 자신의 종교 활동을 하는 것은 대부분 문제가 되지 않습니다. 오히려 건강한 종교 활동은 정서적, 영적으로 도움이 되고 여러 사람들과 교류를 통해 사회성을 키울 수 있는 좋은 기회를 제공합니다. 그러나 너무 지나치게 몰두해서 종교적 망상이 있거나 종교적인 활동이 환자의 회복에 방해가 될 때는 가끔 치료적 목적으로 일시적으로 지나친 종교 활동이나 종교 서적 탐닉을 제한하는 경우도 있습니다. 특히 환자의 수면에 방해가 되거나 생활 리듬을 깰 수 있는 밤을 새우는 종교 활동이나 금식, 지나치게 흥분된 분위기 등은 때로 증상을 악화시킬 수 있으므로 조심해야 합니다. 또한 종교 단체에서 함께 수련회를 가는 경우도 많은데 이런 경우 미리 부탁해서 약물 복용을 제 때에 할 수 있도록 하고 가능하면 적절한 수면을 할 수 있도록 배려하는 것이 좋습니다.

12) 어떤 경우에 입원 치료가 필요한가요?

모든 정신분열병 환자가 입원 치료를 필요로 하는 것은 아닙니다. 많은 경우 통원 치료만으로도 도움이 됩니다. 그러나 여러 가지 이유로 입원이 도움이 되는 경우가 있습니다.

① 심한 급성기 증상으로 인해 생활이 어려운 경우
② 자신이나 남을 해칠 가능성이 큰 경우
③ 적절한 진단과 평가가 필요한 경우
④ 현재의 환경 자체가 증상을 악화시키는 경우
⑤ 약을 먹지 않고 치료를 거부해서 증상이 갑자기 나빠지는 경우

이외에도 치료 약물을 바꾸기 위해, 또는 검사와 관찰을 위해 의사가 필요하다고 판단하는 경우 입원을 권유합니다.

13) 입원해서 심한 사람들과 함께 있으면 병이 나빠지지 않나요?

물론 정신분열병은 전염이 되는 병이 아닙니다. 가끔 보호자들은 입원을 해서 증상이 심한 사람들과 함께 있으면 병이 더 나빠진다고 걱정하는 경우가 있습니다. 입원 자체가 무조건 도움이 되는 것은 아니지만 근본적인 병 자체의 경과는 다른 환자들에 의해 영향을 받지는 않습니다. 입원을 하는 경우 의사와 간호사를 비롯하여 많은 치료진들이 함께 하기 때문에 오히려 치료적인 환경이 조성되는 것입니다. 또 병동에서 자신과 비슷한 어려움을 겪는 사람들을 통해 도움을 받기도 합니다. 외국의 경우 재활을 위해 회복기의 환자들이 모여서 함께 지내는 치료 공간들이 많습니다. 그러나 이런 경우라도 반드시 전문의의 지도와 도움이 필요한 것이 사실입니다.

14) 강제로 입원이 필요한 경우 어떻게 병원에 데리고 가나요?

환자가 치료를 거부하고 병원을 오지 않는 경우 보호자들은 참으로 답답한 심정일 것입니다. 일단 환자를 설득하는 것이 원칙입니다. 왜 치료를 받지 않으려고 하는지 그 이유를 아는 것이 중요합니다. 그러나 환자의 생각이 틀렸다고 논쟁을 할 필요는 없습니다. 충분히 이야기를 듣고 환자의 망상이나 환청 자체 보다는 환자 본인이 힘들어하는 것은 어떤 것인지에 대해 이야기하는 것이 좋습니다. 예를 들어 환자가 말하는 것이 전혀 근거가 없다고 해도 이를 지적하는 것은 도움이 되지 않습니다. 그런 생각으로 인해 환자가 얼마나 힘들고 괴로운지 가족들이 이해한다고 말하는 것이 좋습니다.

그래도 치료를 거부하면 일단 보호자가 주치의와 먼저 상의를 하는 것이 좋습니다. 위험한 상황이거나 급한 경우는 경찰이나 119의 도움을 받는 것이 좋습니다. 이런 경우 순순히 응하는 경우도 있지만 때로는 주변에 많은 사람들이 몰려오는 경우 위협적으로 받아들일 수도 있으므로 환자의 상태를 잘 아는 주치의에게 미리 조언을 구하는 것이 좋습니다. 병원에서 직원이나 차량을 제공할 수 있는 경우도 있으므로 환자가 다니는 병원에서 이런 것이 가능한지, 아니면 급할 때 도움을 받을 수 있는 곳이 어딘지 미리 알아두는 것이 좋습니다.

15) 난폭한 행동을 할 때는 가족이 어떻게 해야 하나요?

정신분열병 환자가 일반인에 비해 더 난폭하거나 범죄를 더 많이 일으키는 것은
아니지만 급성기 증상이 있는 경우에는 예측하기 어려운 행동으로 가족들이 곤란을
겪을 때가 있습니다. 특히 환자들은 사회 활동의 위축으로 인해 집안에서, 가족들에
게 화를 풀거나 난폭한 행동을 하는 경우가 있습니다. 이때 제일 중요한 것은 환자와
가족들의 안전입니다. 환청이나 망상 등의 급성 증상으로 인해 환자가 흥분한 경우,
긴급한 상황이라면 일단 피하고 경찰이나 다른 사람들의 도움을 받는 것이 원칙입
니다. 특히 환자가 칼과 같은 위험한 물건을 들고 있는 경우는 가까이 가는 것은 피
해야 합니다. 칼을 달라거나 갑자기 달려드는 행동은 환자에게 위협적으로 느껴지
기 때문에 더 위험할 수도 있습니다. 그러나 이 정도로 심각하지 않은 경우는 일단
자극을 주지 말고 진정되기를 기다린 후 안정 상태에 들어가면 난폭한 행동에 대해
비난하지 말고 왜 그렇게 힘들었는지 이야기를 듣는 것이 좋습니다. 또한 이런 행동
에 대해서는 반드시 치료자에게 이야기 하고 대책을 세우는 것이 바람직합니다.

16) 엉뚱한 이야기를 하면 가족이 어떻게 반응하는 것이 좋은가요?

사실이 아닌 것을 사실로 믿는 것을 망상이라고 합니다. 환자가 근거없는 이야기
를 하면 대부분의 가족들이 환자를 구박하거나 환자와 논쟁을 하게 됩니다. 그러나
가족들의 이런 행동은 아무런 도움이 되지 않습니다.

가능한 한 환자의 망상이나 환청에 대해 인정하는 태도를 보이거나 사실이 아니
라고 설득하지 않는 것이 좋습니다. 환자의 증상이 어느 정도 호전되어서 가족들의
간단한 설득에도 환자가 수긍한다면 모르지만 그렇지 않은 경우는 아무런 효과도
없고 오히려 피해의식을 키울 수도 있습니다. 가끔은 환자를 안심시키기 위해서 환
자가 들은 환청이나 망상에 가족들이 동조하는 경우가 있습니다. 이 경우도 증상을
고정시켜 망상이나 환청에 대해 확신을 가질 수 있으므로 주의해야 합니다. 가족들
은 환자의 증상보다는 이로 인해 환자가 느끼는 불안이나 힘든 점 등에 관심을 가지
고 이야기하는 것이 더 바람직합니다.

17) 술을 마시면 병이 나빠지나요?

술이 직접 병을 악화시키는 것은 아니지만 여러 가지 이유로 경과에 좋지 못한 영향을 줍니다. 술을 마시면 생활 리듬이 불규칙해지고 약물 복용을 소홀히 하게 됩니다. 잠이 얼른 오는 것처럼 느껴지기도 하지만 수면의 질이 저하되어 결국 불면증을 일으키게 됩니다. 또한 약물과 함께 복용하면 항정신병약물의 효과도 떨어지게 됩니다. 많은 환자들이 항정신병약물 외에도 항불안제나 다른 필요한 약물을 함께 복용하고 있는데 술과 이런 약물들의 상호작용으로 부작용이 생길 가능성도 많습니다. 또 심한 음주가 있는 경우 질병의 경과에도 영향을 미쳐 치료가 그만큼 어려워집니다. 따라서 가능하면 술은 마시지 않는 것이 원칙입니다. 그러나 회복되어 사회생활을 하는 경우 금주는 때로 심각한 스트레스로 작용하기도 합니다. 회식 자리에 참석을 못한다거나 친구들과 어울리지 못한다고 호소하는 경우도 많습니다. 이런 경우 미리 원칙을 정하는 것이 좋습니다. 꼭 필요한 경우 술자리에 가서도 술을 마시지 않는 방법 등에 대해 미리 대책을 세우는 것이 좋은데 가능하면 구체적으로 어떻게 할 것인지, 거절한다면 어떻게 할 것인지 등에 대해 주치의와 미리 상의를 하는 것이 좋습니다.

18) 담배를 끊는 것이 치료에 도움이 돼나요?

정신분열병 환자의 경우 일반인에 비해 흡연의 비율이 높습니다. 때로는 흡연이 이들의 불안과 긴장을 줄이는데 일시적으로 도움이 되기도 합니다. 그러나 흡연은 항정신병약물의 혈중 농도를 낮추어 약효를 떨어뜨리는 경우가 있어 가능하면 줄이는 것이 좋습니다. 그러나 급성기 때 보호자들이 너무 금연을 강요하는 것은 좋지 않습니다. 금연 자체가 큰 스트레스로 작용하고 대부분은 실패로 끝나게 됩니다. 가능하면 금연은 지속적으로 유지되어야 하므로 어느 정도 급성 스트레스가 해소되어 비교적 평온한 시기에 시도하는 것이 좋습니다. 물론 본인이 끊기를 원하는 경우는 언제든지 끊도록 도와주어야 합니다.

19) 환자에게 특별히 좋은 음식이나 피해야 할 음식은 없나요?

결론적으로 말씀드리면 없습니다. 식사는 평상시와 똑같이 생각하시면 됩니다. 가끔 영양이 부족하다고 생각해서 지나치게 고영양식을 먹이는 경우가 있는데 오히려 체중이 너무 많이 증가하여 문제가 되는 경우가 많습니다. 특별히 피할 음식은 없고 다만 술이나 담배, 지나친 카페인 섭취 등은 피하는 것이 좋습니다.

20) 결혼이나 임신은 가능한지요?

정신분열병을 앓았다고 해서 결혼을 못할 이유도 없고 혼자 사는 것이 좋은 것도 아닙니다. 지금까지의 연구 결과 정신분열병 환자의 경우 결혼과 출산의 비율이 낮지만 이는 환자들이 사회적으로 위축되어 사람을 만날 수 있는 기회가 적기 때문으로 생각됩니다. 회복 후 환자의 기능을 평가하고 적절한 경우 결혼을 막을 이유는 없습니다. 또한 임신에 대해서도 너무 염려할 필요는 없습니다. 임신 전 미리 담당의사와 상의해서 현재 복용 중인 약물이 임신에 지장이 없는지, 있다면 다른 약물을 투여하는 것이 좋은지 등에 관해 의논 후 임신을 하는 것이 좋습니다. 현재 주로 사용 중인 항정신병약물들은 임신 시에도 안전하게 사용할 수 있는 경우가 많습니다. 또한 약물을 중단하고 재발하는 경우 큰 위험을 감수해야 하기 때문에 결혼이나 임신으로 인해 자의적으로 약물복용을 중단하는 것은 위험한 방법입니다. 그러나 출산 후 수유를 할 경우는 약물이 아이에게 전달될 수 있으므로 피하는 것이 좋습니다.

21) 혹시 결혼을 하게 되면 증상이 좋아지지는 않나요?

가끔 빨리 결혼을 시키면 병에 도움이 될 것이라고 생각하고 가족들이 결혼을 서두르는 경우가 있습니다. 그러나 결혼 자체는 병의 경과와는 무관합니다. 때로는 결혼해서 안정된 가정을 꾸리는 경우 큰 도움이 될 수도 있지만 반대로 결혼 자체가 큰 스트레스로 작용해서 병을 악화시킬 수도 있습니다. 먼저 환자가 어느 정도 회복이 되었는지, 결혼 생활을 감당할 수 있는 능력이 있는지 적절히 평가하여야 합니다. 또한 결혼 후의 생활, 임신, 약물 복용 등에 대해 미리 담당의사, 환자, 그리고 보호자가 함께 의논해야 합니다. 가능하면 배우자가 될 사람과도 함께 의논하는 것이 바람직합니다.

새로 사람을 사귀게 되는 경우라면 결혼까지 다소 시간적 여유를 두고 충분히 사귄 후 결혼을 결정하도록 돕는 것이 좋습니다. 가끔 환자가 결혼에 대해 집착하고 가족들에게 요구하는 경우가 있는데 가족들이 보기에 아직 결혼할 상태가 아니라고 하더라도 단정적으로 결혼할 수 없다고 말하는 것은 좋지 않습니다. 환자들은 결혼을 자신이 정상적인 사람으로 살 수 있는지의 척도로 생각하는 경우가 있습니다. 따라서 가족들은 결혼을 못하는 것이 아니고 너무 서둘지 않는 것이 좋겠다고 충고하고 결혼을 위해서는 이런 이런 측면들이 좀 더 나아지면 좋겠다는 식으로 접근하는 것이 바람직합니다.

22) 결혼을 할 때는 상대방에게 병에 대해 이야기를 하는 것이 좋을까요?

참으로 어려운 문제입니다. 물론 가장 좋은 방법은 결혼할 상대에게 질병에 대해 설명하고 동의를 구하는 것이지만 현실적으로 쉬운 일이 아니지요. 상대에게 알렸다가 결혼까지 가지 못하는 경우도 흔히 봅니다. 그래서 본의 아니게 숨기고 결혼하는 경우가 많습니다. 이런 경우는 몇 가지 문제가 생길 수 있습니다. 가장 중요한 것이 바로 약물 복용이 어려워지거나 환자가 약을 거부하게 되는 경우가 많습니다. 배우자 몰래 약을 먹는다는 것은 쉬운 일이 아닙니다. 설혹 그렇게 한다고 하더라도 혹시 알게 되지 않을까 늘 긴장하게 됩니다. 그래서 결혼 후 임의로 약을 중단하고 재발하는 안타까운 경우를 종종 보게 됩니다. 그뿐 아니라 혹시 배우자가 자신의 질병에 대해 알지나 않을까, 나중에 문제가 되지는 않을까 하는 염려와 불안으로 스트레스를 받게 됩니다. 따라서 현재 치료 중이거나 치료가 필요한 경우는 상대에게 제대로 알리는 것이 좋습니다. 지금은 질병으로부터 회복이 되었고 예방을 위해 꾸준히 약물을 복용하고 있다고 설명하는 것이 좋습니다. 만약 상대에게 솔직하게 말하는 것이 어려운 경우라도 정신과 치료를 받고 있고 약물 복용이 필요하다는 정도는 알리는 것이 좋겠습니다.

23) 직장에 적응하지 못하고 직장을 그만두게 되는 경우는 어떻게 하면 좋은가요?

가족들의 큰 걱정 가운데 하나는 환자들이 홀로서기가 가능한가 하는 것입니다. 가족들이 보살피고 있는 동안에는 큰 걱정은 없지만 먼 장래를 생각하면 걱정이 안 될 수가 없습니다. 홀로서기를 위해서는 물론 안정된 직장을 갖는 것이 가장 중요합니다. 그러나 불행히도 회복 후에도 병전의 기능을 찾지 못하고 직장에 적응이 어려운 경우도 많습니다. 여기에는 여러 가지 요인이 작용합니다. 만약 회복 후 직장에 복귀하거나 새로 직장을 얻게 된 경우 계속 적응이 어렵다면 먼저 원인을 찾는 것이 중요합니다.

① 피해의식을 비롯한 증상이 남아 적응이 어려운 경우도 있습니다. 동료들이 자신을 따돌린다거나 흉을 본다는 등의 호소를 하는 경우 사실 여부를 명확히 파악할 필요가 있습니다. 자신감이 떨어져 자꾸 상대방의 눈치를 살피다가 스스로 위축되어 있는 경우 이런 증상의 호소가 많습니다. 아직 피해사고 등이 진행되고 있을 가능성도 있습니다.
② 대인관계의 어려움을 호소하는 환자가 많습니다. 병전에도 비교적 내성적이고 대인관계가 활발하지 않았던 경우도 있고 병을 앓고 난 후 오랜 기간 위축된 생활을 했기 때문에 대인관계가 더 어려워지는 경우도 있습니다.
③ 인지기능이 떨어져 업무능력이 예전과 다른 경우도 있습니다. 인지기능의 저하는 정신분열병의 중요한 증상 가운데 하나입니다. 집중력이 떨어지고 예전에 비해 사고력이나 판단력이 떨어져서 업무가 부담이 될 수 있습니다.
④ 병에서 회복된 경우라도 오랜 기간 공백이 있는 경우가 많습니다. 따라서 이런 경우 사회적응에 어려움이 있습니다. 대부분 적응에 시간이 걸리지만 환자는 적응 기간을 넘기지 못하고 너무 쉽게 포기하는 경향이 있습니다. 이런 경우는 다른 직장에 들어간다 하더라도 똑같은 어려움을 겪을 수 있으므로 처음 적응 기간을 넘길 수 있도록 격려해야 합니다.

부록 2. 가족 협회

정신의학이 발달함에 따라 주요 정신질환들이 결국 신체기관의 일부인 뇌의 이상에서 발생한 것일 뿐이라는 점이 밝혀지면서 정신분열병 환자의 가족들은 수치심과 죄의식에서 벗어나, 자신들의 목소리를 낼 수 있게 되었습니다. 거기에 덧붙여 미국에서는 1950년대부터 항정신병약물을 임상에서 본격적으로 사용하면서 병원에서 사회로 환자들을 되돌리자는 탈수용화 운동이 시작되었습니다. 그러나 사회복귀를 돕는다는 취지는 좋았지만, 역으로 환자를 돌보아야 하는 가족들의 부담은 엄청나게 커지게 되었습니다. 이에 따라 환자의 가족들이 서로 도움을 주고 받을 모임의 필요성이 또한 커지게 되었습니다.

국내의 경우도 예외는 아니어서 위에 언급한 필요성과 정신장애인의 삶의 질을 향상시키고 사회복귀를 증진시켜 가정과 사회를 밝게 한다는 목적을 가지고 1995년 7월에 창립된 사단법인 대한정신보건가족협회가 대표적인 가족자조모임이라 할 수 있습니다. 이미 가족협회가 조직되어 있기는 하지만 많은 가족들이 정말 도움이 될까라고 반신반의 하면서 아직 적극적으로는 참여하지 않고 있는 실정입니다.

또한 지난 1996년 말부터 시행에 들어간 정신보건법은 정신분열병 환자들에게 치료를 받을 수 있는 권리를 법적으로 보장해 주면서, 정신보건 정책이 수용 중심의 사회격리 방식에서 이제는 사회복귀 중심의 재활 방식으로 바뀌게 되는 중요한 계기가 되었습니다. 이제는 음지가 아닌 양지로 환자들을 끌어내어서 다 함께 생활할 수 있는 사회를 만들어 나가는 것이 대세를 이루고 있으나, 아직도 실제 생활에서는 정신분열병에 대한 무지에서 오는 사회적 편견과 낙인이 존재하고 있어서 환자의 사회복귀를 가로막는 것이 사실입니다.

사회적인 편견의 벽을 깨고 환자를 끌어 내어 사회로 복귀를 시키기 위해서는 너무나도 할 일이 많습니다. 환자, 가족들, 치료자 모두가 하나가 되어서 협조하면서 이루어나가야 할 일입니다.

환자는 친구나 이웃으로부터 소외 당하고 고립되며, 동시에 가족들도 죄책감이나 수치심 속에서 '이 세상에 내가 겪고 있는 고통을 이해할 수 있는 사람은 나뿐이다' 라고 고독감을 느끼고 있습니다. 그러나, 같은 아픔을 갖고 있는 사람끼리 모인다면 혼자가 아니라는 생각을 갖게 되고 이 어려움을 극복해 나갈 수 있겠다는 자신감과 의욕도 새롭게 생길 수 있을 것입니다.

가족협회에서는 단순히 가족만이 환자의 치료나 관리를 전적으로 책임져야 한다는 수동적인 생각에서 벗어나, 정부나 치료자도 환자를 장기적으로 돌보는 데 책임을 져야 한다고 하는 공동의 책임을 강조하고 있습니다. 따라서 환자가 병원이 아닌 사회에서 독립적으로 생활할 수 있도록 정부차원에서 법률적, 행정적으로 더 많은 지원이 필요하다고 주장을 하고 있으며, 정신분열병 환자의 복지를 사회적으로 공론화를 시키면서 환자의 권익을 보장하기 위한 압력단체로서의 역할도 합니다.

앞으로 가족협회가 벌여 나갈 일은 단순히 국민 복지 차원만의 문제는 아닙니다. 한 국가가 건전하게 발전하기 위해서는 물질적인 부만 중요한 것이 아니며, 그 국가 구성원 개개인이 인간으로서의 존엄성을 갖는 것이 중요합니다. 결국 가족 협회가 해나가는 일들은 환자와 가족만을 위한 일이 아니라, 인간으로서의 존엄과 사랑을 실현해 나감으로써, 사회의 다른 구성원들에게도 도움을 주는 중요한 일인 것입니다.

시도별	가족협회 주사무소 소재지	지부협회장	전화번호
중앙	동대문구 제기동 1158-32	송웅달	02)928-1152~4
서울특별시	동대문구 제기동 1158-32	송웅달	02)928-1152~4
인천광역시	인천광역시 부평구 부개1동 1158-32	박금자	032)502-9071
경기남	수원시 팔달구 고등동 231-1(금강외과 B/D) 3층)	김경희	031)251-2534, 251-0557
경기북	의정부시 의정부 1동 211-1(이레)	최한식	
강원도	강원도 춘천시 교동 113-16(6/2)	안임순	033)244-2453
대전광역시	청주시 상당구 용암동 179-7	박종보	042)672-7317
충청북도	충북 충주시 호암동 세경@3/105	이근형	043)279-7111
충청남도	충남 공주시 반포면 학봉리 91	박종성	042)841-9915
광주광역시	광주광역시 북구 두암2동 59-20 미라보A 103동 910호	정성민	062)264-1024
전라북도	전북전주시 완산구 효자동 1가 205-45번지	박헌수	063)232-7032
전라남도	전남곡성군 입면 삼오리 2구 579	최재관	061)363-4966
대구광역시	대구광역시 달서구 파산동 707-1	정태성	053)582-5826~7
경상북도	경북 안동시 평화동 156-120	김태규	054)852-5640
경상남도	경남 진주시 망경 535-60	박석주	055)752-6838
제주도	제주시 일도 2동 143-32	조순신	064)756-2539
울산시	경남 울산시 을주군 언양읍 서부리 26-5	허필조	052)262-1246

부록 3. 정신보건센터

1) 지역사회 정신보건 사업

지역사회 정신보건이란 지역사회 내에서 이루어지는 정신보건과 관련된 모든 활동을 의미합니다. 서구에서는 이미 19세기부터 사회개혁운동의 성격을 가진 정신보건정책을 시행하여 왔으며, 1950년대부터는 정신분열병 치료 약물의 개발에 힘입어 환자들을 수용하고 격리하던 종전의 방침에서 더 나아가 지역사회에서 환자의 재활을 위해 더 노력하게 되었습니다. 이런 과정의 바탕에는 인본주의적 사상이 있었으며, 많은 시행착오를 거쳐서 각 나라마다 문화적, 사회적 및 정치적 배경에 따른 독특한 정신보건체계를 이룩해 왔습니다.

우리나라의 경우 아직은 지역사회 정신보건 체계가 체계적으로 도입되어 있지 않고 전반적인 정신보건 정책은 입원 및 수용 위주의 환자관리에 있었습니다. 그러나 최근 지역사회 정신보건에 대한 활발한 논의가 시작되고 관심이 더욱 높아져 일부 지역에서는 지방자치단체 공공자금의 지원을 받아 지역사회 정신보건 사업이 진행되고 있으며, 향후 지역사회 정신보건의 개념이 정부의 정신보건정책에 반영될 것으로 생각됩니다.

현재 국내에서 시행하고 있는 정신보건 사업은 크게 국가에서 감독하고 지역에서 시행하는 정신보건 센터와 경기도에서 감독과 시행을 하는 정신보건센터 그리고 개인이나 법인이 시행하고 있는 정신보건센터가 있습니다. 센터마다 특성에 맞추어 사업을 진행하기 때문에 약간의 차이가 있기는 하지만 일반적으로 시행하는 사업내용은 다음과 같습니다.

- 정신질환자, 가족, 자원봉사자에 대한 교육 및 모임 지원
- 일반인 대상의 정신보건 교육
- 정신질환자 주간 재활 프로그램 운영
- 지역 사회 관련 기관에 대한 연계
- 정신질환자 가정 방문 및 교육

● 직업 재활 훈련

〈각 지역 별 정신보건센터 연락처〉

※ 서울지역

성동구 정신보건센터	02-2298-1080
강남구 정신보건센터	02-2226-0344
서대문구 정신보건센터	02-337-2176/2165
강서구 정신보건센터	02-2657-0190~3
성북구 정신보건센터	02-969-8961/6926
노원구 정신보건센터	02-950-3756
강북구 정신보건센터	02-985-0222
은평구 보건소	02-350-1589
관악구 보건소	02-880-0246
광진구 보건소	02-450-1596

※ 부산지역

금정구 정신보건센터	051-583-2600~3
부산진구 보건소	051-605-6037
남구 보건소	051-607-4792
연제구 보건소	051-665-4840

※ 대구지역

서구 정신보건센터	053-564-2595
수성구 정신보건센터	053-663-3148
남구 보건소	053-472-4000

※ 인천지역

중구 정신보건센터	032-760-7696

남구 보건소	032-865-8756
강화군 보건소	032-933-4000

※ 광주지역

동구 정신보건센터	062-220-0468
서구 정신보건센터	062-362-8517
남구 보건소	062-650-7695
광산구 보건소	062-940-8650

※ 대전지역

서구 정신보건센터	042-488-9742
대덕구 정신보건센터	042-931-1671~2
동구 보건소	042-629-1132
중구 보건소	042-580-2715

※ 울산지역

남구 정신보건센터	052-227-1116
울주군 보건소	052-238-0651

※ 경기지역

부천시 정신보건센터	032-328-1351~5
연천군 정신보건센터	031-832-81081
수원시 정신보건센터	031-247-0888
안산시 정신보건센터	031-411-7573
용인시 정신보건센터	031-336-9222
평택시 정신보건센터	031-658-9818
남양주시 정신보건센터	031-592-5891~2
고양시 정신보건센터	031-968-2333

의왕시 정신보건센터	031-458-0682
광주시 정신보건센터	031-762-8728
의정부시 정신보건센터	031-828-4567
하남시 정신보건센터	031-790-6558
김포시 정신보건센터	031-998-4005
동두천시 정신보건센터	031-863-3632
안양시 정신보건센터	031-389-3435
오산시 정신보건센터	031-374-8680
과천시 정신보건센터	02-504-4440
성남시 정신보건센터	031-702-7214
화성시 정신보건센터	031-352-0175
구리시 정신보건센터	031-550-2007
군포시 정신보건센터	031-461-1771
성남시 중원구 보건소	031-739-1007
광명시 보건소	031-897-7784
시흥시 보건소	031-310-2555
안성시 보건소	031-677-3040

※ 강원지역

춘천시 정신보건센터	033-244-7574
강릉시 보건소	033-645-4000
동해시 보건소	033-530-2607
원주시 보건소	033-741-2565
홍천군 보건소	033-435-7480

※ 충북지역

청원군 정신보건센터	043-297-0801/3
충주시 보건소	043-257-4000

보은군 보건소	043-542-4000
옥천군 보건소	043-732-4824
단양군 보건소	043-420-3436

※ 충남지역

아산시 정신보건센터	041-540-2536
태안군 보건소	041-671-5301
홍성군 보건소	041-630-1770
서천군 보건소	041-950-5671
금산군 보건소	041-753-4000

※ 전북지역

군산시 정신보건센터	063-451-0363
전주시 정신보건센터	063-273-6996~7
익산시 정신보건센터	063-850-4624
정읍시 보건소	063-538-2590
남원시 보건소	063-620-6414
김제시 보건소	063-540-3657
부안군 보건소	063-584-1261

※ 전남지역

영광군 정신보건센터	061-350-5666
목포시 보건소	061-270-3699
보성군 보건소	061-850-5563
화순군 보건소	061-370-1546
강진군 보건소	061-430-3532
장흥군 보건소	061-862-4000

※ 경북지역

포항시 정신보건센터	054-254-1275
구미시 정신보건센터	054-456-8360
포항시 남구 보건소	054-280-0558
경주시 보건소	054-779-6476
안동시 보건소	054-851-5965
경산시 보건소	054-814-2820
칠곡군 보건소	054-973-2023

※ 경남지역

창원시 정신보건센터	055-287-1223
마산시 정신보건센터	055-240-2282
김해시 정신보건센터	055-329-6328
진주시 보건소	055-749-2363
양산시 보건소	055-380-4894
의령군 보건소	055-570-2561
통영시 보건소	055-646-4000
함안군 보건소	055-580-2423

※ 제주지역

제주시 정신보건센터	064-750-4217
서귀포시 보건소	064-735-3580

〈국내외 정신분열병 관련 Site 주소〉

대한신경정신의학회 http://www.knpa.or.kr/
대한정신분열병학회 http://www.schizophrenia.or.kr/
대한정신약물학회 http://www.kcnp.or.kr/
대한생물정신의학회 http://www.biolpsychiatry.or.kr/
대한신경정신과개원의 협의회 http://www.onmaum.com/

정신분열병에 대한 정보, 지지, 교육에 대한 정보를 찾아볼 수 있습니다(외국사이트).
http://www.schizophrenia.com/

international mental health(외국사이트)
정신분열병에 대한 궁금한 사항들을 찾아볼 수 있습니다.
http://www.mentalhealth.com
http://www.mentalhealth.com/book/p40-sc05.html
http://www.mentalhealth.com/book/p40-sc03.html

international congress on schizophrenia research(외국사이트)
정신분열병에 대한 의학적 연구의 흐름을 알 수 있습니다.